Paul Norbury

CULTURE SMART!
REINO UNIDO

Tradução
Celso R. Paschoa

1ª edição

Rio de Janeiro-RJ / Campinas-SP, 2013

Editora: Raïssa Castro
Coordenadora Editorial: Ana Paula Gomes
Copidesque: Maria Lúcia A. Maier
Revisão: Tássia Carvalho
Projeto Gráfico: Bobby Birchall
Diagramação: André S. Tavares da Silva

Título original: *Culture Smart! Britain*

ISBN: 978-85-7686-257-4

Copyright © Kuperard, 2003
Todos os direitos reservados.

Culture Smart!® é marca registrada de Bravo Ltd.

Tradução © Verus Editora, 2013
Direitos reservados em língua portuguesa, no Brasil, por Verus Editora. Nenhuma parte desta obra pode ser reproduzida ou transmitida por qualquer forma e/ou quaisquer meios (eletrônico ou mecânico, incluindo fotocópia e gravação) ou arquivada em qualquer sistema ou banco de dados sem permissão escrita da editora.

Verus Editora Ltda.
Rua Benedicto Aristides Ribeiro, 55, Jd. Santa Genebra II, Campinas/SP, 13084-753
Fone/Fax: (19) 3249-0001 | www.veruseditora.com.br

Imagem da capa: © Travel Ink/Andrew Milliken

CIP-BRASIL. CATALOGAÇÃO NA FONTE
SINDICATO NACIONAL DOS EDITORES DE LIVROS, RJ

N751c

Norbury, Paul
   Culture Smart! Reino Unido / tradução Celso R. Paschoa. - 1. ed. - Campinas, SP : Verus, 2013.
   il. ; 18 cm   (Culture Smart! ; 4)

   Tradução de: Culture Smart! Britain
   Inclui índice
   ISBN 978-85-7686-257-4

   1. Reino Unido - Descrições e viagens - Guias 2. Reino Unido - Usos e costumes. I. Título. II. Série.

13-04640
                                                              CDD: 914.1
                                                              CDU: 914.1

Revisado conforme o novo acordo ortográfico

Impressão e acabamento: LIS Gráfica e Editora Ltda.

Sobre o autor

Paul Norbury é *publisher*, editor e escritor na área de práticas e procedimentos de negócios internacionais, especialmente ligados ao Extremo Oriente. Ele é especializado na publicação de livros sobre comunicação intercultural. Seus estudos mais antigos abordavam a cultura asiática para ocidentais, mas neste livro o autor usa sua experiência como mediador e intérprete para apresentar o Reino Unido aos visitantes estrangeiros.

Sumário

Mapa do Reino Unido	7
Introdução	8
Dados importantes	10

Capítulo 1: NAÇÃO E POVO — 12
- O que é o "Reino Unido"? — 12
- Clima — 13
- Quem são os britânicos? — 15
- Os sons do Reino Unido — 18
- Marcos históricos — 19
- Algumas datas fundamentais — 24

Capítulo 2: ESCÓCIA, PAÍS DE GALES E IRLANDA DO NORTE — 28
- Apresentando a Escócia — 28
- O povo — 30
- Perspectivas históricas — 33
- A economia escocesa — 36
- A gaita de foles — 39
- Clãs e tartans — 40
- O golfe — 42
- A comida e o lar — 42
- O ensino — 46
- O gaélico — 46
- Apresentando o País de Gales — 47
- Geografia — 48
- Um pouco de história — 49
- Carvão e ferro — 52
- A economia galesa — 53
- O povo e a língua — 53
- Apresentando a Irlanda do Norte — 55
- Vislumbres históricos — 58
- Cenário político atual — 60
- A economia da Irlanda do Norte — 62

Capítulo 3: VALORES E ATITUDES — 64
- A ironia — 65
- A confiança — 66
- O "jogo limpo" — 67
- A manutenção da ordem — 68
- O senso de identidade — 69
- O senso de justiça e o comprometimento — 70
- Realeza, classe e "honrarias" — 71
- A religião — 73
- O senso de dever — 76
- Alta ou baixa cultura? — 78
- Bebidas e a ética do trabalho — 79
- Humor como diversão — 80

Capítulo 4: A MONARQUIA, A POLÍTICA E O GOVERNO — 82
- Uma visão panorâmica — 82
- Funções da rainha — 84
- Partidos políticos — 86
- A etiqueta da "casa" — 88

Capítulo 5: COMIDAS E BEBIDAS — 90
- Refeições do dia — 94
- Convites — 98
- Boas maneiras à mesa — 99
- Comendo fora — 100
- O pub — 103
- *Wine bars* — 107

Capítulo 6: ENTRETENIMENTO — 108
- Pompa e fausto — 109
- Aonde ir e o que fazer — 110
- "Casual" é bem-vindo — 112
- Compras — 113

Sumário

- Esportes — 115
- A temporada — 119
- Feriados nacionais — 121
- Bricolagem e jardinagem — 121
- Viagens e transporte — 122

Capítulo 7: AMIZADE, FAMÍLIA E VIDA SOCIAL — 124
- Informalidade e amizade — 124
- Modos formais e informais — 126
- A nova familiaridade — 129
- A família — 130
- O sistema de classes — 136
- Assuntos proibidos — 145

Capítulo 8: RECOMENDAÇÕES NOS NEGÓCIOS — 150
- Uma visão panorâmica — 150
- Formalidades nos negócios — 153
- Comunicação escrita — 155
- Reuniões formais e código de vestimenta — 156
- Pontualidade e vida no trabalho — 157
- Homens e mulheres de negócios — 160
- Estilos de negociação — 162
- Sindicalismo — 162
- Férias — 163
- Conclusão — 164

Leitura recomendada — **165**
Índice remissivo — **166**

Mapa do Reino Unido

Introdução

Muitas pessoas que visitam o Reino Unido pela primeira vez têm uma noção preconcebida do que vão encontrar lá — e com frequência se surpreendem. Até aqueles têm o inglês como língua nativa podem ficar confusos: Oscar Wilde descreveu o Reino Unido e a América como "duas nações divididas pelo mesmo idioma". Os povos dessas ilhas são o produto de uma longa e variada história. Eles podem, ao mesmo tempo, encantar e consternar quem nasceu em outras partes do mundo.

O Tratado de União de 1707, que unificou os governos da Inglaterra e da Escócia, criando dessa forma a Grã-Bretanha, foi uma medida complexa — praticamente tão confusa como o críquete, o esporte nacional. Para os visitantes, a personalidade dos britânicos é um quebra-cabeça. Palavras como "complexos", "enigmáticos" e "idiossincráticos" pululam à mente, do mesmo modo que outros epítetos, como "reservados", "esquisitos" e "excêntricos".

Também é verdade que muitos britânicos ainda se orgulham de seu passado e sentem uma espécie de nostalgia dos "bons e velhos tempos" — uma memória coletiva do país como ele era antes da Segunda Guerra Mundial. O Reino Unido é visto no exterior como um país insular e "diferente", mas nenhum desses estereótipos chega a incomodar os britânicos. Como indivíduos, eles são imensamente

inventivos, reflexivos, focados e tenazes —
qualidades que geraram resultados extraordinários,
para não mencionar o maior império que o mundo
já conheceu, uma monarquia que dura há mais de
um milênio e uma democracia parlamentarista que
serve de modelo para o resto do mundo.

O Reino Unido foi o berço de alguns dos
maiores escritores universais, deu início à
Revolução Industrial, originou a maior parte dos
esportes mais conhecidos do mundo, além de
produzir incontáveis itens tecnológicos
responsáveis pelo avanço da qualidade de vida
moderna. Venceu mais prêmios Nobel do que
todos os países europeus juntos e tem feito mais do
que qualquer outra nação para unir os continentes,
primeiro mediante seu grande império comercial e,
depois, por meio do legado oferecido pelo inglês
como língua mundial. Com frequência na
vanguarda das mudanças, os britânicos
permanecem particularmente ligados ao passado.

As páginas a seguir pretendem ajudar o visitante
a entender um pouco mais sobre os hábitos, os
valores e o modo de vida em constante
transformação desse notável povo insular que, no
passado, dominou um terço do mundo.

Dados importantes

Nome oficial	Reino Unido da Grã-Bretanha e da Irlanda do Norte	Membro da Otan, da União Europeia, do G-7, do G-8, da OMC e do Conselho de Segurança da ONU
Capitais	Londres: a maior cidade da UE, com sete milhões de habitantes	Outras capitais: Edimburgo, Cardiff e Belfast
Principais cidades	*Inglaterra:* Birmingham, Manchester e Liverpool *Escócia:* Glasgow e Aberdeen *País de Gales:* Swansea, Wrexham e Newport *Irlanda do Norte:* Londonderry	
Área	Área total aproximada de 243.025 km^2 *Inglaterra:* 130.324 km^2 *Escócia:* 78.469 km^2 *País de Gales:* 20.774 km^2 *Irlanda do Norte:* 13.458 km^2	
Clima	Temperado	A temperatura em Londres oscila de 2 a 6 °C em janeiro, e de 13 a 32 °C em julho
População	59.756.000 habitantes, assim distribuídos: *Inglaterra:* 49.997.000 *Escócia:* 5.115.000 *País de Gales:* 2.946.000 *Irlanda do Norte:* 1.698.000	Brancos: 92,1% Grupos étnicos minoritários: 7,9% Principais grupos étnicos: indianos, paquistaneses, caribenhos e africanos de raça negra
Composição familiar	Média de membros por família: 2,4	Pop. abaixo de 15 anos: 19% Pop. acima de 65 anos: 15,8%
Religião	Anglicana (Nacional Inglesa), Igrejas do País de Gales e da Escócia (tradições protestantes), Católica	Principais religiões minoritárias: judaísmo, hinduísmo, islamismo, sikhismo
Idioma	Inglês	Inglês e galês no País de Gales

Governo	Monarquia constitucional. Não há uma Constituição escrita: a relação entre Estado e povo é baseada na legislação, no Código Civil e nas convenções. O Parlamento encerra duas câmaras, a Casa dos Comuns (eleitos) e a Casa dos Lordes (não eleitos), e permanece a autoridade suprema do governo e do legislativo no Reino Unido, apesar de ter delegado as administrações da Escócia, do País de Gales e da Irlanda do Norte	
Moeda	Libra esterlina	
Mídia	Principais jornais: *The Times*, *The Guardian*, *The Independent*, *The Daily Telegraph* e *The Observer* (aos domingos). Há, ainda, cinco "tabloides" de alcance nacional	São publicados jornais regionais por todo o país, sendo o maior deles o *Daily Record* (circulação de seiscentos mil), da Escócia
Rádio, TV e internet	A BBC TV tem dois canais principais, Canal 1 e Canal 2, e seis canais digitais. A TV independente tem vários canais comerciais, além de canais digitais. Há, também, duas principais companhias de TV a cabo	A BBC domina o cenário radiofônico, mas há muitas emissoras independentes. Aproximadamente 40% das casas estão conectadas à internet
Eletricidade	240 volts por todo o país	
Vídeo/TV	Sistema PAL	
Domínio na internet	.uk	Após a desregulamentação, existem atualmente cerca de cinquenta provedores de serviço
Telefone	O código identificador do Reino Unido é 44	Com a privatização, há hoje cerca de cinquenta provedoras de serviços de telefonia

Capítulo **Um**

NAÇÃO E POVO

O QUE É O "REINO UNIDO"?

O visitante pode estranhar os diferentes nomes usados para descrever o país, às vezes indicado como Bretanha, Grã-Bretanha, Reino Unido e Inglaterra (esse último ainda é utilizado em boa parte do mundo para se referir a toda a região).

Na realidade, a Grã-Bretanha compreende a Inglaterra, o País de Gales e a Escócia, além de todas as ilhas costeiras, inclusive a de Wight, as de Scilly, as Hébridas, as Órcades e as Shetlands. O

Reino Unido é constituído pela Grã-Bretanha e pela Irlanda do Norte. A ilha de Man, no mar da Irlanda, e as ilhas do Canal, no canal da Mancha, entre a Grã-Bretanha e a França, têm ampla autonomia e são conhecidas como dependências da Coroa; no entanto, não fazem parte do Reino Unido.

O nome "ilhas Britânicas" é essencialmente um termo geográfico e descreve todos os elementos citados, além de toda a ilha da Irlanda, acrescidos da ilha de Man e das ilhas do Canal.

O Reino Unido está situado na extremidade mais ocidental da calota continental da Europa. Consiste de duas grandes ilhas e diversas centenas de ilhotas, separadas do continente europeu em aproximadamente 6000 a.C. O clima oceânico moderado e a sutil ondulação das planícies fornecem ao território uma base excelente para a agricultura. A paisagem se torna cada vez mais montanhosa quando nos dirigimos para o norte, que conduz aos montes Grampianos, na Escócia, aos Peninos, no norte da Inglaterra, e às montanhas Cambrianas, no País de Gales. Os principais rios incluem o Tâmisa, ao sul, o Severn, a oeste, e o Spey, na Escócia.

CLIMA

De modo geral, pensa-se num clima frio, úmido, nublado e varrido pelo vento no Reino Unido. Essa generalização, no entanto, deixa de levar em consideração as muitas variações regionais do tempo ou os microclimas encontrados em todas as regiões do país; há também o fato de que, cada vez mais, o aquecimento global parece obscurecer as distinções entre as estações, particularmente no período compreendido entre o outono e a primavera. O clima do Reino Unido é controlado por uma série de depressões vindas do Atlântico, as quais se movem transversalmente ou passam próximo das ilhas Britânicas, em virtude do vento que sopra do sudoeste.

Conversas sobre o clima

Dadas as consideráveis variações do clima do Reino Unido, tanto regional como historicamente, não é de estranhar que as "conversas sobre o clima" sejam tão recorrentes entre a população. Peguemos, por exemplo, o ano de 2000, que começou com o inverno mais ensolarado da Inglaterra e do País de Gales desde 1909, seguido pelo abril mais seco desde 1766, quando começaram esses registros. Regiões da Escócia e da Irlanda do Norte tiveram em seguida o julho mais seco desde 1929, antes de outubro testemunhar um recorde de chuvas que assolaram o país inteiro. O outono se transformou no mais úmido da Inglaterra e do País de Gales desde o início dos registros, continuando até a primavera de 2001.

Historicamente, foram registradas muitas condições estranhíssimas. Por exemplo, em 21 de janeiro de 1661, Samuel Pepys anotou em seu diário: "É estranho o clima que tivemos durante todo este inverno; não fez absolutamente frio, mas as vias estão empoeiradas, as moscas voam de um lado para o outro e as roseiras estão carregadas de folhas..." Em contrapartida, em poucas ocasiões, como em 1683 e em 1771, o rio Tâmisa congelou, propiciando uma arena inesperada para a prática de patinação e outras atividades.

O Reino Unido tende a apresentar um clima nublado e encoberto. Apesar de sua reputação chuvosa, o fato é que somente metade do país tem 760 mm de chuvas anualmente — exceto nos últimos anos, quando foram registradas inundações inusitadas. As regiões mais úmidas são Snowdonia, com cerca de 5.080 mm de chuva, e Lake District, muito apreciado por turistas, com 3.350 mm.

Na Inglaterra se registra geralmente a melhor condição climática do Reino Unido — especialmente na parte sudoeste do país, que se beneficia de sua posição na trajetória da corrente do Golfo (a exemplo das Hébridas, na Escócia). As regiões mais frias do Reino Unido são as Highlands (Terras Altas) escocesas. No topo do Ben Nevis, o pico mais alto, a temperatura média anual fica em torno do ponto de congelamento, enquanto em muitos vales neva durante o ano todo. As temperaturas raramente ultrapassam 32 ºC ou caem abaixo de -10 ºC. No entanto, no verão de 2003, uma onda de calor no Reino Unido elevou a temperatura a mais de 38 ºC, algo inédito desde o início dos registros.

QUEM SÃO OS BRITÂNICOS?
Do ponto de vista político, todas as pessoas nascidas no Reino Unido, incluindo os nativos, os originários das ex-colônias e os muitos outros que o adotaram como país, são intituladas de "britânicos".

Em contrapartida, é essencial entender que as tradições culturais históricas dos britânicos, particularmente as culturas celta, anglo-saxã, nórdica e franco-normanda, permanecem no centro do "estilo de vida britânico".

Os séculos de conflitos finalmente resolvidos pelo Tratado de União, que unificou os governos da Inglaterra e da Escócia em 1707 (as monarquias haviam se unido em 1603), geraram uma profunda — e, às vezes, ferozmente defendida — percepção de identidade isolada. Isso pode ser mais bem demonstrado pelos times nacionais de futebol e rúgbi, independentes para a Inglaterra, a Escócia e o País de Gales. As partidas entre Inglaterra e Escócia são travadas com paixão intensa, porque representam uma questão de orgulho nacional. Mas a maioria das pessoas (as pesquisas de opinião e as eleições comprovam isso) concorda que há muito mais a ganhar com os países unidos.

Um Reino Unido multicultural
Além das culturas nativas, o Reino Unido ainda conta com o que podemos chamar de culturas do "Império" — principalmente do subcontinente

indiano (3,4%), além de da África e do Caribe (2,2%).

No total, existem hoje no Reino Unido cerca de quatro milhões de pessoas (7,1% da população) de outras origens étnicas (ou um total de 9%, de acordo com o Censo de 2001, que pela primeira vez ofereceu aos respondentes a opção de "raça mista"). Essas novas comunidades, entretanto, não estão disseminadas igualmente pelo país, criando com isso um padrão muito heterogêneo de integração e coesão.

Por exemplo, cerca de dois terços de todos os grupos étnicos negros vivem em Londres. Em Leicester, Wolverhampton e Birmingham, há grande concentração de indianos, e muitos paquistaneses e bengalis vivem na Grande Manchester, em Birmingham e em West Yorkshire, especialmente em Leeds e Bradford.

Mais de quatro quintos da população total do Reino Unido vivem na Inglaterra. As maiores concentrações demográficas estão em Londres e no Sudeste, South e West Yorkshire, Grande Manchester, Merseyside, nas Midlands Ocidentais e nas cidades adjacentes do nordeste, próximas dos rios Tyne (Newcastle), Wear (Durham e Sunderland) e Tees (Middlesbrough).

Em decorrência da Lei de Relações Raciais de 1976 (emendada em 2000), que introduziu a formação da Comissão pela Igualdade Racial, o governo tem promovido uma política que afirma a natureza multirracial da sociedade britânica.

Embora essa legislação não seja universalmente bem acolhida, tem aceitação geral. Nas grandes cidades já existe uma expressão extremamente multirracial, e a vida se tornou muito mais facetada e vibrante por causa disso, o que não ocorre ainda nas cidades menores ou nos vilarejos tradicionais.

Muitas regiões e cidades estão associadas a grandes escritores, artistas e músicos ingleses, como Stratford-upon-Avon (William Shakespeare), Lake District (William Wordsworth), Yorkshire (irmãs Brontë), Stoke-on-Trent (Arnold Bennett), Dorset (Thomas Hardy), Worcestershire (Edward Elgar) e Liverpool (os Beatles).

OS SONS DO REINO UNIDO

A história do Reino Unido deixou ricos tesouros arqueológicos, mas também um notável "registro de voz" pelas diferentes regiões do país, com grande variedade de pronúncias, dialetos e vocabulário, que podem diferir dentro de uma mesma região, de vilarejo para vilarejo e de cidade para cidade. Nos mais de 16.500 povoados, aldeias e vilarejos rurais ingleses, a maioria com menos de quinhentos habitantes, notam-se muitas variáveis linguísticas.

Se você ligar esse fato à história britânica e à história de como a "raça mestiça" evoluiu no país, verá que não há motivo para se surpreender. Quando Chaucer escreveu seus *Contos de Canterbury*, no fim do século XV, ele empregou vocabulário das línguas celta, latina — nas modalidades clássica, vulgar e medieval —, anglo-saxã, juta, nortúmbria, francesa normanda, francesa central, dinamarquesa e norueguesa! E, desde então, foram adicionados à língua da região elementos emprestados do resto do mundo — do híndi e do urdu ao rap afro-americano.

Alguns visitantes perguntam se há um modo "correto" ou "padrão" para se comunicar em inglês. A resposta é que, durante boa parte do século XX, a BBC e outras instituições tentaram promover um "inglês-padrão". Atualmente, sabemos que não é necessário existir um padrão, e que todas as pronúncias regionais têm seu valor. Hoje em dia, ouvintes e espectadores da BBC mantêm contato com uma variedade de pronúncias por todo o país.

Sotaques e atitudes
Na peça *Pigmaleão*, base do musical *My Fair Lady*, Bernard Shaw escreveu: "É impossível para um inglês abrir a boca sem fazer com que outros ingleses o desprezem". Essa declaração resume bem a antiga situação, mas não é tão verdadeira no mundo de hoje!

MARCOS HISTÓRICOS
O caráter britânico foi forjado pela geografia e por dois milênios de história. Invasões sucessivas deixaram suas marcas, com os povos nativos

brigando pelo poder e os britânicos irrompendo para além de suas fronteiras até alcançarem o cenário mundial. No fim desta seção, há uma lista de datas significativas da história britânica, que servem como ponto de referência útil. Por ora, examinemos o passado, quando foram erigidas as bases para a cultura e o estilo de vida do Reino Unido atual.

Em 55 e 54 a.C., Júlio César enviou expedições de reconhecimento à então Britânia pré-histórica, para obter informações sobre potenciais recursos e colonização de terras. Passado aproximadamente um século, em 43 d.C., o imperador Cláudio iniciou de fato a conquista da Britânia, seguida por cerca de 350 anos de governo romano, numa sociedade em desenvolvimento romano-celta. No início do século V, o Império Romano entrou em grave declínio, resultando no colapso de muitos de seus postos avançados, entre eles o da Britânia. Os remanescentes das tropas romanas se retiraram em aproximadamente 409 d.C.

Sem a *Pax Romana* para manter a lei e a ordem, a Britânia celta logo estava à mercê de tribos saqueadoras germânicas, dos jutos (Hengist e Horsa), dos saxões e dos anglos. Os governos civis romanos, ou *civitates*, remanescentes continuavam implorando, em vão, a ajuda de Roma contra os invasores. Por fim, a Inglaterra foi invadida e se tornou uma sociedade predominantemente anglo-saxã, com os povos celtas nativos empurrados para as regiões periféricas da Cornualha, de Gales e da Escócia.

O século VIII, no entanto, testemunhou o início de uma nova onda de invasões. Dessa vez, foi a investida dos altamente sofisticados "homens do Norte" — piratas vikings da Escandinávia, em especial da Dinamarca — que trouxe estragos e devastação, ao menos inicialmente, para as pequenas cidades e vilarejos ao longo das vastas regiões da costa britânica. A maior invasão dos vikings, envolvendo centenas de embarcações — a maior frota que a Inglaterra jamais viu —, culminou com a queda de York, em 867. Ao longo do tempo, a autoridade viking foi firmemente estabelecida em muitas partes da Inglaterra. A administração dessas áreas se tornou sujeita ao que era conhecido como Danelaw (leis dinamarquesas). Nomes de localidades com terminação em *by*, como Whitby, e em *thorpe*, como Scunthorpe, testemunham esse passado ligado aos vikings.

Hoje, a história arqueológica e cultural de York está centrada num esplêndido empreendimento conhecido como The Jorvik Experience, no Centro Viking de Jorvik, localizado abaixo da cidade antiga, o qual mostra aos visitantes as diferentes eras arqueológicas, com modelos móveis, vistas e odores da época.

O próximo grande marco foi em 1066, quando se concretizou a última invasão bem-sucedida da Inglaterra. Guilherme II, duque da Normandia, derrotou os ingleses na Batalha de Hastings, no litoral sul da Inglaterra, e se tornou o rei Guilherme I, conhecido como "o Conquistador". A história dessa batalha é celebrada na famosa tapeçaria de Bayeux, presumidamente tecida em Canterbury e preservada até os dias de hoje em Bayeux, região norte da França.

O francês do Norte se tornou a língua das classes dominantes durante os três séculos seguintes, e as práticas legais, sociais e institucionais francesas influenciaram expressivamente o estilo de vida inglês. Quando Henrique II, proveniente de Anjou, na França, se tornou rei (1154-1189), seu "Império Angevino" se estendeu do rio Tweed, na fronteira da Escócia, até grande parte da França, aproximando-se dos Pirineus.

No entanto, com o fim da Idade Média, quase todas as possessões da Coroa inglesa na França, após alternar períodos de expansão e retração, foram finalmente perdidas.

A Inglaterra e o País de Gales uniram-se administrativa e legalmente em 1536-1542, durante o reinado de Henrique VIII (cuja família, os Tudor, tinha raízes galesas). Após a morte de Elizabeth I, em 1603, Jaime VI da Escócia se tornou Jaime I da Inglaterra, unificando as duas monarquias. A união política entre a Inglaterra e a Escócia ocorreu em 1707, sob a administração da rainha Ana. Estava formada a Grã-Bretanha que conhecemos nos dias atuais.

O grande império de comércio ultramarino britânico começou durante o reinado de Elizabeth I, no século XVI, com ações oportunistas de pirataria contra o inimigo — a Espanha. Ele se expandiu à custa de seus rivais europeus durante o século XVIII, fazendo da nação

a superpotência naval sem rivais do século XIX. A história paralela dos grandes avanços culturais, sociais e tecnológicos que efetivamente criaram o mundo moderno tem sido tema de muitos livros. Apresentamos a seguir alguns marcos da história britânica.

Algumas datas fundamentais

55-54 a.C. Júlio César envia expedições à Britânia (que desembarcam em Pevensey, East Sussex).

43 d.C. A conquista romana começa, com Cláudio e quarenta mil soldados.

61 Rebelião dos icenos sob o comando da rainha Boudica (ou Boadiceia); Paulino esmaga a revolta após atacar Londres e St. Albans. (Boudica comete suicídio no ano seguinte.)

122-138 Construída a Muralha de Adriano, que se estende de Solway até o Tyne, para afastar escoceses saqueadores (parcialmente reconstruída em 205-208).

314 Bispos britânicos participam do Concílio de Arles, o que evidencia a existência de uma igreja organizada na Britânia.

406-410 A Britânia perde suas forças romanas.

449 Desembarque de Hengist e Horsa. Jutos, saxões e anglos desembarcam na região e começam a estabelecer os reinados anglo-saxões.

597 O prior romano santo Agostinho é enviado pelo papa para refundar o cristianismo na Britânia. Ele se torna o primeiro arcebispo de Canterbury.

664 Sínodo de Whitby escolhe a Igreja Católica Romana em vez da ordem da Igreja Celta.

789-795 Primeiros ataques vikings (via Weymouth, no sul da Inglaterra).

829 Egberto de Wessex é declarado "rei da Inglaterra".

832-860 Escoceses e pictos se fundem sob a liderança de Kenneth MacAlpin para fundar o que se tornaria o Reino da Escócia.

835 Egbert de Wessex se declara "rei dos ingleses".

851 Tentativa de invasão organizada por 350 embarcações dinamarquesas; Londres e Canterbury são saqueadas.

Década de 860 Os dinamarqueses também atacam a Ânglia Oriental, a Nortúmbria e o leste de Mércia.

899 Morte de Alfredo, o Grande, rei de Wessex.

1066 Guilherme I, duque da Normandia, invade a Inglaterra, derrota o rei Haroldo II, próximo de Hastings, em 14 de outubro, e conquista o trono inglês.

1085-1086 Compilação do *Domesday Book*, um estudo das propriedades inglesas, encomendado por Guilherme I.

1170 Tomás Becket, arcebispo de Canterbury, é assassinado por apoiadores de Henrique II, em 29 de dezembro.

1189 Ricardo I, ou Ricardo Coração de Leão, é coroado e se lança na Terceira Cruzada, em 1191.

1215 O rei João é forçado a assinar a Carta Magna em Runnymede. Ao proteger os direitos feudais do abuso real, impõe limites ao poder monárquico.

Século XIII Fundadas as primeiras faculdades de Oxford e Cambridge. Eduardo de Caernarfon (depois Eduardo II) cria o título de príncipe de Gales.

1314 Robert Bruce derrota a Inglaterra na Batalha de Bannockburn, garantindo a sobrevivência de um reinado escocês isolado.

1337 Começa a Guerra dos Cem Anos com a França.

1348-1349 A peste negra (bubônica) provoca a morte de um terço da população inglesa.

1381 Revolta dos camponeses na Inglaterra.

1387(?)-1394 Geoffrey Chaucer escreve os *Contos de Canterbury*.

1400-1406 Owain Glyndŵr (Owen Glendower) lidera a última grande revolta galesa contra o domínio inglês.

1411 Fundação da Universidade de St. Andrews, a mais antiga da Escócia.

1455-1485 Guerra das Rosas, em que as famílias York e Lancaster disputam o trono inglês; os Lancaster derrotam Ricardo III na Batalha de Bosworth, em 1485, e inicia-se a dinastia Tudor, com Henrique VII.

1477 Impressão do primeiro livro na Inglaterra, por William Caxton.

1534 Henrique VIII rompe formalmente com Roma, funda a Igreja Anglicana (Nacional Inglesa) e avança com a Reforma Inglesa.

1536-1542 Atos de União unem administrativa e legalmente a Inglaterra e o País de Gales, e concedem uma representação galesa no Parlamento.

1547-1553 O protestantismo se torna a religião oficial da Inglaterra por ordem de Eduardo VI.

1553-1558 Maria I ("Bloody Mary") apoia o retorno do catolicismo e mata "hereges" protestantes na fogueira.

1558 Perda de Calais, a última possessão inglesa na França.

1558-1603 Reinado da "Rainha Virgem", Elizabeth I, e a Era Dourada dos Tudor.

1588 Incitada pelo famoso discurso de Elizabeth I: "Sei que tenho o corpo de uma mulher fraca e débil, mas o coração e o estômago de um rei", uma pequena frota inglesa derrota a Armada Espanhola.

1590(?)-1613 William Shakespeare escreve suas peças teatrais.

1603 União das coroas da Inglaterra e da Escócia, quando Jaime VI da Escócia se torna Jaime I da Inglaterra.

1607 Primeira colônia inglesa bem-sucedida na Virgínia inicia três séculos de expansão ultramarina.

1610 Colonização do Ulster; Jaime I coloniza a Irlanda do Norte com protestantes escoceses e ingleses.

1642-1651 Guerra Civil entre o rei Carlos I e o Parlamento.

1649 Execução de Carlos I em 30 de janeiro, em Whitehall. Primeiro e único regicídio da história britânica aprovado pelo povo (Parlamento).

1653-1658 Inglaterra, Escócia e Irlanda se tornam uma república, a "Commonwealth", ou Protetorado, governada pelo puritano Oliver Cromwell como Lorde Protetor. Ele abole a monarquia, a Casa dos Lordes e a Igreja Anglicana.

1660 A monarquia é restaurada por Carlos II (1660-1685), daí o nome de Período da Restauração (a Igreja Anglicana e a Casa dos Lordes são também reinstaladas).

1662 Fundação da Royal Society (Real Sociedade para a Promoção do Conhecimento Natural).

1663 John Milton conclui *Paraíso perdido*.

1665 A Grande Praga — a última grande epidemia desse tipo na Inglaterra.

1666 O Grande Incêndio de Londres começa em uma padaria em Pudding Lane e assola a cidade durante três dias.

1686 Isaac Newton divulga suas leis do movimento e o conceito de gravitação universal.

1689 Ocorre a popularmente chamada "Revolução Gloriosa". Um golpe sem derramamento de sangue contra o último monarca da dinastia dos Stuart, Jaime II, resulta em sua expulsão e na coroação de Guilherme e Maria. Resistência dos escoceses das Terras Altas e dos irlandeses católicos.

1707 Tratado de União entre os parlamentos inglês e escocês; criação efetiva da Grã-Bretanha.

1721-1742 Robert Walpole é o primeiro primeiro-ministro britânico.

1745-1746 "Bonnie Prince Charlie" falha em sua tentativa de retomar o trono britânico para os Stuart.

1760-1840 A Revolução Industrial transforma a Grã-Bretanha.

1761 Abertura do Canal Bridgewater, de Worsley a Manchester, passando pelo rio Mersey (67 km); início da Era dos Canais.

1775-1783 Sob o reinado de Jorge III (1760-1811), a Guerra Americana da Independência leva à perda das Treze Colônias. O Império continua se expandindo no Canadá, na Índia e na Austrália.

1801 Ato de União unifica a Grã-Bretanha e a Irlanda, governadas por um único Parlamento; criação efetiva do Reino Unido.

1805 Batalha de Trafalgar. Nelson derrota a marinha francesa. Antes da disputa, de seu navio *Victory*, ele envia a famosa mensagem: "A Inglaterra espera que todos os homens cumpram seu dever".

1815 Batalha de Waterloo e derrota final de Napoleão Bonaparte.

1815-1914 Um século de expansão do Império Britânico.

1825 Abertura da Stockton & Darlington Railway, a primeira ferrovia de passageiros do mundo.

1829 A emancipação católica permite a seus seguidores ocupar cargos legais e ser eleitos para o Parlamento.

1832 A Primeira Lei da Reforma elimina uma porção de "burgos arruinados" e aumenta em cerca de 50% o número de pessoas aptas a votar.

1833 Abolição da escravatura no Império Britânico (o comércio britânico de escravos foi abolido efetivamente em 1807).

1836-1870 Charles Dickens escreve seus romances, começando com *As aventuras do sr. Pickwick* e finalizando, em 1864, com *Nosso amigo comum*. No ano de sua morte, 1870, ele tinha iniciado *Edwin Drood*, que não terminou.

1837-1901 Reinado da rainha Vitória.

1846 Revogação das Corn Laws. Transferência de poder dos proprietários de terra aos industriais.

1859 Charles Darwin publica *A origem das espécies e a seleção natural*.

1868 Fundação do Trades Union Congress (TUC), sindicato nacional central do Reino Unido.

1907 Henry Royce e C. S. Rolls constroem e vendem o primeiro automóvel Rolls-Royce (o "Fantasma Prateado").

1910-1936 O Império Britânico atinge o ápice territorial.

1914-1918 Primeira Guerra Mundial.

1918 Concedido direito de voto às mulheres.

1919-1921 Guerra Anglo-Irlandesa. O Tratado Anglo-Irlandês estabelece um Estado irlandês livre; a Irlanda do Norte (os seis condados) permanece parte do Reino Unido.

1924 Primeiro governo do Partido Trabalhista, liderado por Ramsay MacDonald.

1926 Greve geral surgida da Disputa do Carvão.

1926 John Logie Baird faz a primeira demonstração prática do funcionamento de uma televisão.

1928 Alexander Fleming descobre a penicilina.

1931 Coalizão nacional formada para enfrentar a crise econômica.

1936 Marcha de Jarrow — a mais famosa marcha dos famintos da década de 1930.

1939-1945 Segunda Guerra Mundial.

1943 Construção do Colossus I, primeiro computador eletrônico do mundo, usado para decifrar códigos de inimigos durante a Segunda Guerra Mundial.

1947 Concedida independência à Índia e ao Paquistão; o Reino Unido começa a desmantelar seu império.

1948 O Serviço Nacional de Saúde (SNS) britânico é implementado, oferecendo tratamento médico gratuito para toda a população.

1952 Inicia-se o reinado de Elizabeth II.

Capítulo **Dois**

ESCÓCIA, PAÍS DE GALES E IRLANDA DO NORTE

Apesar das similaridades com seu maior vizinho — a Inglaterra —, há diferenças fundamentais na Escócia, no País de Gales e na Irlanda do Norte no que diz respeito à autopercepção, ao estilo e à cultura. Assim, ao conhecer esses países, leve isso em consideração e tente combinar sensibilidade e um conhecimento mínimo da história e das características distintivas de cada um. Esperamos que este capítulo o ajude a proceder dessa forma.

APRESENTANDO A ESCÓCIA

As Highlands e as ilhas escocesas abrigam alguns dos cenários mais espetaculares do mundo. Ben Nevis, a montanha mais alta do Reino Unido (1.344 m), está situada nos Grampianos. A Escócia responde por aproximadamente um terço do território do Reino Unido, mas contém somente 12% da população (5,1 milhões de habitantes) — a qual está declinando gradualmente, fato que causa certa preocupação no país. O problema principal é o fracasso de setores tradicionais, como a construção naval e a pesca, e investimentos limitados no novo setor de alta tecnologia.

As duas maiores cidades escocesas são Edimburgo (a capital, com 453 mil habitantes), na costa leste, e Glasgow (609 mil), na costa oeste; depois vêm Aberdeen e Dundee. As áreas menos densamente povoadas da Escócia são as ilhas Órcades (19 mil habitantes) e as ilhas Shetlands (22 mil habitantes).

Um dos locais mais famosos da Escócia é o lago Ness, onde supostamente há um monstro ("Nessie") que tem estimulado a imaginação de muitas pessoas no mundo todo há gerações. O local é uma das maiores atrações turísticas da Escócia, e seus segredos sem dúvida continuarão atraindo o mundo das ciências, da literatura e de Hollywood nos anos vindouros. Contudo, até o momento, ainda não foi encontrado nenhum monstro por lá.

Outro local muito famoso é o Castelo de Edimburgo, construído oitocentos anos atrás. Edificações estratégicas e residências monárquicas se erguem no topo da surpreendente rocha vulcânica que encima o castelo desde o século XI, quando ele serviu de residência oficial para Margaret, filha do rei Malcolm III. Posteriormente, foi utilizado como forte militar e como prisão. A posição íngreme do rochedo e suas grandes dimensões dominam os céus de Edimburgo, assim, à medida que nos aproximamos da cidade, podemos vê-lo de qualquer lugar. O Edinburgh Tattoo, que apresenta bandas de gaitas de foles bastante conhecidas, é o principal evento anual realizado no castelo e termina com uma espetacular queima de fogos.

O POVO

A cultura escocesa se mantém vibrante, fascinante e homogênea, com tradições relativamente distintas. Os escoceses caracterizam-se por uma autopercepção notadamente clara e um forte comprometimento com seu estilo de vida, apesar dos períodos de êxodo em massa no curso de sua história, ou talvez por causa deles (veja o tópico "The Clearances", mais adiante). Eles se destacaram na colonização do Império Britânico, contribuindo com mão de obra, habilidades e conhecimentos na engenharia e na tecnologia da época.

Isso se deu em grande medida devido a um forte senso de sobrevivência, persistência e desenvoltura, além de um elaborado sistema educacional, particularmente em engenharia, nas ciências e no direito, mantido até os dias atuais. O processo de "colonização" hoje se limita sobretudo ao Reino Unido — vejam-se os cargos-chave de Estado nas administrações Blair e Brown, bem como os vários líderes da indústria, das artes, do ensino, das ciências e da mídia britânicos, de raízes escocesas.

Empreendimento escocês
O político liberal e radical do século XIX, Sir Charles Dilke, que foi meio longe ao defender a união com os Estados Unidos (em *Greater Britain*, 1868), observou: "Nos assentamentos britânicos que vão de Dunedin a Bombaim, para cada inglês bem-sucedido vindo de classes desprivilegiadas, você vai encontrar dez escoceses".

Alguns grandes nomes escoceses
Nas letras, o escritor e poeta Sir Walter Scott (1771-1832) é provavelmente a principal figura literária da nação (veja o Memorial Scott, em Edimburgo), seguido pelo poeta Robert Burns (1756-1796), que sintetizou o espírito nacional e continua a fazê-lo. Os jantares e as festas anuais da

Burns Night no Reino Unido e no mundo anglófono, os quais celebram o nascimento do poeta em 25 de janeiro, testemunham a magia dele. Outros nomes famosos da literatura escocesa são: James Boswell, amigo e biógrafo de Samuel Johnson, o novelista Tobias Smollett, os filósofos David Hume e Adam Smith e o líder trabalhista Keir Hardie. A primeira edição da *Enciclopédia britânica* foi publicada em Edimburgo (1768-1771).

Outros grandes nomes incluem o ensaísta e historiador Thomas Carlyle e os escritores James Barrie (*Peter Pan* e *The Admirable Crichton*), Robert Louis Stevenson (*A ilha do tesouro*) e John Buchan (*Os 39 degraus*). A mais recente adição à lista de escritores escoceses é J. K. Rowling, autora da série Harry Potter.

Há um entusiasmo geral nas artes e na literatura contemporâneas, e o Festival de Edimburgo (em agosto) passou a ser um evento de renome mundial em todos os aspectos das artes performáticas; o Fringe, com mais de setecentas produções, atua de forma semelhante a um caleidoscópio de entretenimento, cobrindo desde o sublime até o ridículo. Dois outros eventos de verão, os festivais de folk e de jazz, são também extremamente reconhecidos no país e respeitados em nível internacional.

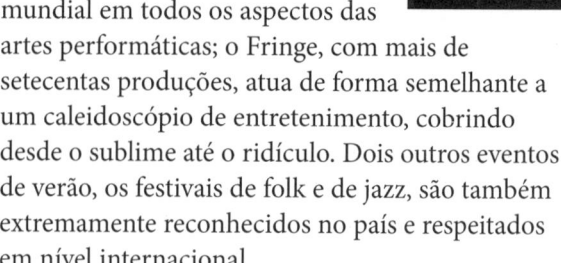

PERSPECTIVAS HISTÓRICAS

A Escócia nunca se deixou conquistar, nem nunca foi conquistada definitivamente, até se efetivar como uma "conquista" política, resultado do Tratado de União de 1707. Com esse instrumento, houve a fusão dos Parlamentos inglês e escocês em um único Parlamento, com sede em Westminster, criando-se, portanto, o novo Estado da Grã--Bretanha e com isso a Union Flag, resultado da combinação entre as duas bandeiras nacionais — a cruz vermelha de são Jorge e a cruz diagonal azul de santo André. (Curiosamente, após a unificação das monarquias escocesa e inglesa um século antes, em 1603, o primeiro rei da "união", Jaime I, usou o título "rei da Grã-Bretanha" para aludir à união dos reinos por um monarca.)

Mas, na visão de alguns escoceses, o relacionamento histórico com a Inglaterra foi doloroso, permanecendo avivada a memória de alguns eventos. Os mais lembrados talvez sejam a Batalha de Stirling Bridge (1277), liderada por William Wallace (posteriormente executado em Londres), e a derrota massacrante dos ingleses por Robert Bruce, na Batalha de Bannockburn, perto de Stirling (1314), que efetivamente pôs fim às tentativas do rei inglês Eduardo I, em 1296, de anexar a Escócia e impor a legislação inglesa. Esse evento resultou no reconhecimento formal, por parte de Eduardo III, em 1328, de Robert Bruce como o rei Roberto I da Escócia.

Os escoceses apoiaram os parlamentaristas (também conhecidos por "cabeças arredondadas",

por causa dos capacetes que usavam) durante a Guerra Civil Inglesa (1642-
-1646), para depois sofrer a ocupação, embora breve, pela Commonwealth de Cromwell, em virtude dos levantes presbiteriano-monarquistas em 1648.

Após o Tratado de União de 1707 houve, de fato, uma série de levantes. O mais famoso deles foi o liderado por Carlos Eduardo Stuart, apelidado de "Bonnie Prince Charlie", que, após um início bem-sucedido, foi finalmente derrotado em 1746, em Culloden, próximo de Inverness, nas Terras Altas escocesas.

"The Clearances"
Persiste certa raiva em relação ao infame episódio das Clearances — ou "limpeza" — das Terras Altas, que se seguiu às rebeliões anti-União no início do século XVIII, quando o sistema de clãs escoceses foi desmantelado pela vitória dos ingleses. No início do século XIX, numerosas levas de fazendeiros e suas famílias foram removidas à força visando dar lugar a um extensivo programa de fazendas para criação de ovelhas. Outros processos semelhantes ocorreram no final desse mesmo século, quando, em muitas regiões, tais fazendas de ovelhas foram substituídas por florestas de cervos. Essas "limpezas" contribuíram muito para o êxodo em massa de escoceses rumo ao Novo Mundo, particularmente para a Nova Inglaterra (nos EUA),

o Canadá (especialmente Nova Escócia), a Austrália e a Nova Zelândia, além de outros países do Império.

Não é de surpreender, portanto, que a Escócia tenha sustentado um forte compromisso com os direitos dos trabalhadores e, ao mesmo tempo, com os movimentos sindicalistas, particularmente em Glasgow e na região de Strathclyde, continuando uma campanha vigorosa, sobretudo por meio do Partido Nacionalista Escocês, pela independência. Mas, hoje, há pouco entusiasmo entre a população por uma Escócia independente (como mostram as eleições legislativas de 2003 no país); ao contrário, grande parte dos escoceses vota no Partido Trabalhista, e os congressistas escoceses em Westminster contribuem com votos vitais para manter o governo trabalhista no poder.

A Igreja da Escócia

O reformador protestante John Knox foi um dos grandes responsáveis pela fundação da Igreja da Escócia em 1560, que adota a linha protestante no modo como é administrada, ou seja, por presbíteros, e não por bispos. Ela se baseia nos ensinamentos de João Calvino e numa interpretação rígida da Bíblia. (O tratado *History of the Reformation in Scotland*, de Knox, datado de 1586, é considerado uma das obras-primas da prosa escocesa.) A exemplo da Igreja da Inglaterra, a Igreja da Escócia é uma tradição oficiosa, e, embora completamente isolada, tem o monarca inglês como seu principal dirigente.

O Parlamento escocês e o executivo

Em 1999, ocorreram eleições para o primeiro Parlamento escocês em quase trezentos anos, e o novo e extremamente polêmico prédio do Parlamento, situado próximo ao antigo palácio real de Holyrood, foi inaugurado em 2004. Suas reuniões acontecem na General Assembly Hall da cidade velha de Edimburgo. O Parlamento está sob o comando do executivo, do primeiro-ministro escocês e de seus 129 membros (parlamentares), a maioria composta de trabalhistas, e é responsável pela gestão das principais questões internas da Escócia. Não tem uma segunda câmara revisora, como a Casa dos Lordes, em Westminster. Nas eleições parlamentares de 2003, menos de um terço do eleitorado escocês exerceu o direito ao voto.

As responsabilidades do Parlamento escocês incluem questões relativas a saúde, educação, administração local, habitação, desenvolvimento econômico, direito civil e criminal, transporte, meio ambiente, agricultura, setores pesqueiro e madeireiro, esportes e artes. Nessas questões, o Parlamento tem a competência de emendar ou rejeitar decretos emitidos pelo Parlamento britânico e de sancionar novas leis. Também tem o poder de ajustar a alíquota básica do imposto de renda até um limite máximo de três centavos.

A ECONOMIA ESCOCESA

Os principais propulsores da atual economia escocesa são: a indústria eletrônica — que responde por mais de 50% de todas as exportações de manufaturados do país —, as reservas de petróleo e gás, nas regiões próximas da costa, o uísque, o turismo, além dos setores madeireiro, pesqueiro e de serviços financeiros. (Os quatro bancos de compensação escoceses emitem suas próprias cédulas, que são moeda corrente em todo o Reino Unido, mas às vezes são vistas com cautela pelos operadores do mercado inglês de valores mobiliários.)

Uísque
No Reino Unido, a ortografia correta para uísque é *whisky* (no inglês americano, escreve-se *whiskey*). Há cerca de noventa destilarias na Escócia, a maioria no nordeste do país, as quais, em 2000, geraram exportações no valor de 1,3 bilhão de libras esterlinas (2,08 bilhões de dólares). O uísque de malte, em particular, destilado segundo métodos antigos e com certo folclore, é apreciado e celebrado por conhecedores de todo o mundo. Os especialistas abordam a apresentação de críticas sobre maltes como uma função quase sagrada, fornecendo descrições evocativas e anotações em livros de referência cuidadosamente pesquisados. De fato, mais do que tudo, o uísque *é* a Escócia.

As destilarias em Speyside são particularmente célebres e desfrutam de grande reputação (as mais famosas são Macallan, Linkwood, Cardhu, Glenfarcias, Strathisia, Mortlach, Glen

Grant, Glenfiddich, Tamnavulin, The Glenlivet, Tamdhu e Dallas Dhu). Há 116 maltes simples classificados, divididos em *highland, lowland* ou *islay*. Os uísques *blended* (combinados) são os mais comuns por todo o mundo, mas o consumo de uísque maltado cresce à medida que os consumidores descobrem a ampla faixa de subtipos existentes. A água utilizada na elaboração do malte, por exemplo, é filtrada em granito ou turfa? O formato do alambique influi em algo? A cevada é oriunda do país ou importada? Tudo está no aroma da bebida!

O uísque, entretanto, nem sempre foi a bebida preferida dos escoceses. Nos séculos XVII e XVIII, por exemplo, o drinque preferido era o clarete,* embarcado em Bordeaux para o Leith. De fato, o próprio Robert Burns comprovou as vastas quantidades consumidas em sua canção "Gae bring tae me a pint o' wine". O imposto sobre o vinho colocou um ponto-final em sua popularidade e forneceu uma abertura para as antigas destilarias ilegais se tornarem públicas (e legais) e desenvolverem o setor de uísque altamente valorizado que existe nos dias de hoje.

Da destilaria Dallas Dhu, fundada em 1899, o renomado conhecedor e escritor Wallace Milroy oferece a seguinte informação, em seu *Malt Whisky*: "Aroma: toque delicado de turfa. Sabor: 100% encorpado, prolongado e com retrogosto suave [...]. Toda a destilaria atualmente é operada

---

* Vinho tinto leve de cor vermelho-clara. (N. do T.)

pelo Departamento de Edifícios e Monumentos Históricos, e um ótimo local para visitar. Degustação disponível após o jantar, com bebidas da destilaria e de engarrafadores independentes. Além disso, o Scotch Whisky Heritage Centre, em Edimburgo, apresenta uma introdução detalhada da indústria do uísque e de sua 'água da vida'".

A GAITA DE FOLES

Embora conhecidas dos egípcios e romanos há mais de um milênio, não há dúvida de que hoje o "som" da Escócia é representado pelas gaitas de foles, tradição que se mantém ao longo dos séculos. As primeiras competições com esses instrumentos de sopro ocorreram no Encontro Anual de Falkirk, em 1781, ocasião em que um morador das Terras Altas poderia ser penalizado por trajar o *kilt* ou tocar o instrumento "de guerra", como era à época considerado.

Não há nenhum outro som no mundo mais emocionante e característico que o emitido por um conjunto de gaitas de foles. A banda de infantaria dos Queen's Own Cameron Highlanders e outras podem ser ouvidas diariamente no Castelo de Edimburgo, durante o Edinburgh Tattoo, em agosto, e em outras ocasiões públicas importantes, como as Highland Gatherings, e, ainda, em concertos ou competições.

Nos tempos antigos, a maioria dos líderes de clãs empunhava uma gaita de foles pessoal — tradição que originou famílias lendárias de tocadores desses instrumentos, como os MacCrimmon, os MacLeod e os MacArthur. Municipalidades, departamentos de polícia e regimentos das Terras Altas têm bandas de gaitas de foles — as mais famosas são as da polícia das cidades de Muirhead, Shotts, Dykehead, Glasgow e Edimburgo.

> ### Hogmanay
> Esse é o nome no dialeto escocês para o "último dia do ano", e também para os bolos de aveia tradicionalmente ofertados às crianças quando elas vão de casa em casa entoando cânticos alegres. Atualmente, trata-se mais de um evento midiático que tem tudo a ver com celebrações e diversão. É transmitido ao vivo pela BBC de Edimburgo, sendo considerado uma das festividades anuais da nação.

CLÃS E TARTANS

A cultura e a vida escocesas habitualmente se dividiam entre as Lowlands (Terras Baixas) — cidades, vilarejos ou vilas fronteiriças, onde as áreas científica, intelectual e literária eram fomentadas — e as Highlands (Terras Altas), em que a vida social girava em torno de um sistema de clãs (*clann*, em gaélico, significa "filhos" ou "família"). A lealdade revelava-se fundamental para a sobrevivência, pois o chefe do clã era ao mesmo tempo líder, protetor e ordenador da justiça. (Ainda podem ser vistos nos dias atuais as colinas usadas nos enforcamentos e os fossos de decapitação, características comuns dos territórios dos clãs.) Os vínculos de parentesco criavam uma unidade social forte e, eventualmente, muito poderosa. Os feudos dos clãs, popularizados por Sir Walter Scott em seu romance *Rob Roy*, eram comuns e frequentemente mortais. Assim, os monarcas escoceses tendiam a deixar as Terras Altas bastante abandonadas.

Após a final e esmagadora derrota dos escoceses na Batalha de Culloden, em 1746, foram introduzidas mudanças drásticas no modo de vida das Highlands, com o Decreto de Proscrição (1747), que proibia o uso de tartans (tecidos de lã xadrez) sob qualquer forma (inclusive *kilts*) e o porte de armas. Além disso, aboliram-se jurisdições herdadas (de clãs) e o uso das gaitas de foles em público. De fato, todos os elementos que caracterizavam a vida nas Highlands foram considerados indesejáveis. O processo ao qual já nos referimos, denominado "The Clearances", ajudou a eliminar a antiga cultura desses territórios.

No entanto, em 1782, o Decreto de Proscrição foi abolido, o que levou à comercialização e à padronização dos tartans. A partir daí, logo estavam disponíveis os primeiros livros exibindo capas com motivos quadriculados. Os historiadores observam que Jorge IV trajou uma roupa com um tecido desse tipo em sua visita à Escócia em 1822, o que impulsionou uma febre de tartans no século XIX, fomentada pela rainha Vitória, que nutria carinho especial pelas Terras Altas.

Na atualidade, há tartans especialmente feitos para cada ocasião, seja para usar no dia a dia, numa caçada ou até em festas. Dados os avanços nas indústrias de tecelagem e tintura, não é de admirar que os vínculos entre esses tecidos e os clãs históricos se estreitassem cada vez mais, originando cerca de 1.600 padrões diferentes registrados na moderna Sociedade Escocesa de Tartan.

O GOLFE

Dispensa explicações o fato de o golfe — um dos mais antigos, sofisticados e consagrados esportes — ter evoluído tanto desde o velho jogo do *gowff*, que envolvia bater numa pedra com um pedaço de pau. A primeira menção ao golfe como um jogo que reconheceríamos hoje remonta a 1457, quando era tão popular que (assim como o futebol) tinha de ser proibido aos domingos, pois interferia na prática de arco e flecha. Em 1754, formou-se uma sociedade de praticantes de golfe na antiga cidade universitária de St. Andrews. Em 1834, sob o patrocínio de Guilherme IV, ela se tornou o Royal and Ancient Golf Club da localidade e o quadro dominante do jogo no Reino Unido.

A COMIDA E O LAR

Os escoceses são um povo amigável. Eles podem ser austeros, cautelosos e ingênuos, e certamente não são dados a tantas risadas como os ingleses, mas acolhem os visitantes com afeto e hospitalidade.

Tradicionalmente, a dieta escocesa era dominada pela aveia. Um prato principal típico seria *tatties and herring*, que consiste em batatas com arenque e farinha de aveia. A popularidade da aveia continua nos dias de hoje, em mingaus, bolos, panquecas e algumas combinações adocicadas deliciosas, como o *Atholl brose* e o *cranachan*, que levam aveia e vários outros ingredientes, como mel, creme de leite, framboesas e uísque ou Drambuie (licor de uísque).

O prato nacional, *haggis*, é tradicionalmente servido na Burns Night (evento anual em homenagem ao poeta escocês Robert Burns), acompanhado por um tocador de gaita de foles solitário. Consiste de miúdos de carneiro misturados com gordura, aveia, cebolas e ervas e cozidos no estômago de uma ovelha, prática que durante anos causou à UE certa dor de cabeça, resultando no uso, nos dias atuais, de um invólucro sintético aprovado. O prato é tradicionalmente degustado com purê de batata e nabos, ou pode ser apresentado numa variedade de preparações criativas e saborosas — há até uma versão vegetariana. Outras iguarias muito apreciadas incluem o bolo de Dundee, à base de frutas, o *shortbread* (biscoito amanteigado), carne de vaca, carne de veado e diversas variedades de peixe defumado.

Escolha seu momento!
Os visitantes da Escócia devem ficar cientes de um antigo costume — se uma garrafa de uísque for aberta para um convidado, ela tem de ser consumida inteira antes de o anfitrião se retirar. Portanto, o momento apropriado para a visita deve ser bem escolhido.

Vida doméstica

As características comuns mais distintivas das principais cidades escocesas são os conjuntos residenciais coletivos do final do século XIX, construídos por empreiteiros e investidores. Com blocos de oito ou mais apartamentos, eles abrigavam os operários que trabalhavam nos moinhos, nas fábricas, nos estabelecimentos comerciais, nas docas e nos sistemas de transporte que geravam a riqueza do Reino Unido vitoriano.

Essas unidades não eram nada confortáveis, mas, de alguma forma, as numerosas famílias, comuns naquele tempo, conseguiam viver em um ou dois quartos (o segundo geralmente estava mais para um quarto de despejo), uma sala (que também servia de quarto), uma cozinha e um banheiro. O aquecimento vinha de lareiras abastecidas de carvão. Utilizava-se uma área comum ajardinada no fundo para estender varais e para recreação.

Uma dessas habitações, na Buccleuch Street, 145, em Glasgow, permanece aberta ao público. Acomodando uma família continuamente de 1911 até a década de 1960, funciona hoje como um museu que retrata a vida nesse tipo de habitação. Após sofrer reformas e receber novos mobiliários, os predinhos residenciais agora são muito disputados pelas gerações mais jovens.

Se você fosse um profissional bem-sucedido — médico, advogado ou engenheiro — em Edimburgo, considerada a capital "esnobe" da Escócia, sua casa seria num dos espaçosos e esplêndidos sobrados georgianos, na região oeste da cidade.

A sociedade de Edimburgo é previsivelmente muito fechada. O sotaque mais leve e refinado dessa cidade se destaca em comparação aos dialetos mais carregados de Glasgow e de outras partes do país. Os nascidos em Aberdeen, no nordeste, são às vezes considerados os que falam o inglês mais puro do Reino Unido, em virtude de sua pronúncia "limpa" e "clara", embora com um "r" muito definido e "rolado".

Edimburgo é o centro de excelência da Escócia, mas Glasgow é o coração do país. É uma cidade vasta, capital da região de Strathclyde, com enorme contraste entre riqueza e pobreza, muita personalidade e desenvoltura e um leque incrível de subculturas. Alguns dos dialetos da área central da cidade são praticamente incompreensíveis, até para outros escoceses.

Glasgow exibe alguns dos exemplares mais finos da arquitetura moderna e vitoriana, e é conhecida como Cidade Jardim, Cidade da Cultura e Cidade da Arquitetura, em celebração às enormes contribuições de Charles Rennie Mackintosh (1868-1928), nascido ali, que se tornou reconhecidíssimo por seus designs distintivos, especialmente por sua obra-prima: a Escola de Arte de Glasgow.

Além disso, Glasgow *respira* futebol. A cidade é conhecida por seus dois times, o Celtic, católico, e o Rangers, protestante (jamais confunda os dois!). Ambos estão sempre no topo da Primeira Divisão

Escocesa de Futebol e lutam pelo primeiro lugar em todos os campeonatos.

O ENSINO
O sistema educacional escocês tem uma série de características distintivas, incluindo a estrutura e a organização das escolas, um sistema separado de exames e diferenças na grade curricular.

Números recordes de estudantes continuam, posteriormente, nos cursos vocacionais ou no ensino superior; além disso, à diferença da Inglaterra ou do País de Gales, a Escócia oferece um pacote de apoio financeiro muito atrativo para quem continua os estudos, particularmente na universidade.

O GAÉLICO
O escocês gaélico é uma língua celta parecida com o irlandês. Como língua falada, está em declínio, possivelmente com menos de sessenta mil falantes competentes o bastante para utilizá-la como primeira língua. A maioria vive nas ilhas Hébridas (onde mais de 70% são falantes do gaélico) e na ilha de Skye (cerca de 60%), ao largo da costa oeste escocesa. A principal instituição de cultura gaélica é a An Communn Gaidhealach, sediada em Inverness.

APRESENTANDO O PAÍS DE GALES

Em galês, o País de Gales é conhecido por *Cymru*, traduzido em linhas gerais como "o país de amigos". Para nós, é conhecido simplesmente por País de Gales — uma terra de capelas, vales, aragem e cultivo nas colinas, com regiões montanhosas vastas e isoladas. Ali a paixão por falar a língua galesa é tanta que a maioria dos avisos e sinais oficiais vem escrita em inglês e galês.

O País de Gales é também a terra do coro de vozes masculinas — uma das coisas mais bonitas que emergiram da frenética e cinzenta época da mineração de carvão e das fundições de ferro, as quais, felizmente, acabaram há um bom tempo.

Não surpreendentemente, dada a beleza etérea de sua geografia e o clima extremamente variável — por situar-se como a porta de entrada do Reino Unido aos sistemas meteorológicos prevalentes do Atlântico —, o País de Gales é também um local onde o espírito pode descansar para ser criativo. O país tornou-se destino comum para escritores, músicos, artistas e artesãos de todas as partes do mundo. Tudo isso está encapsulado no festival cultural anual de Gales, o *Eisteddfod*, em que a poesia lírica é declamada com acompanhamento de harpa e corais masculinos buscam a excelência.

Na chegada
Os visitantes do País de Gales logo ficam sabendo que estão num país "estrangeiro": o galês é falado amplamente nas ruas — embora isso não seja tão

evidente na metropolitana Cardiff — e está presente em todas as placas de trânsito, informações públicas e letreiros dos prédios oficiais. Não tente pronunciar o galês; ele é carregado de consoantes e exige estudo assíduo.

À exceção de algumas áreas isoladas em que a primeira língua é o galês, todas as pessoas falam inglês, e você será recebido afetuosamente como visitante. Você talvez ache que alguns aspectos da vida local, tradicionalmente influenciados por uma estrita religião metodista, são muito provincianos e que as pessoas não são muito entusiasmadas no que concerne aos ingleses. Mas isso não deve impedi-lo de apreciar a rica cultura celta e suas tradições, que estão lá para ser descobertas.

GEOGRAFIA
A mais famosa das áreas que englobam as cadeias montanhosas do País de Gales é o Parque Nacional

de Snowdonia, no norte do país, que se espalha por cerca de 2.137 km², tendo como maior pico o Snowdon (*Yr Wyddfa*), que chega à altura de 1.085 m. Embora o norte abrigue a maior parte da região montanhosa, há também algumas faixas encantadoras de planalto que constituem a região central do país. O rio Severn, com 330 km de extensão, é o mais longo do Reino Unido. Os Brecon Beacons constituem o centro de outro parque nacional, de cerca de 1.300 km². As montanhas galesas atuam como fonte de recursos hídricos para o país e para algumas das principais cidades inglesas, como Liverpool e Birmingham.

UM POUCO DE HISTÓRIA

Muito antes de os romanos deixarem a Britânia, o País de Gales era um baluarte celta autônomo sob o domínio de príncipes soberanos. Mas, no século XI, o emergente reino da Inglaterra anglo-normanda constatou que era cada vez mais difícil aceitar a violação da lei e da ordem ao longo de suas fronteiras, resultante da constante rivalidade entre os príncipes galeses. Guilherme, o Conquistador, tinha abordado (sem muito sucesso) o que veio a ser conhecido como "o problema galês", e, na segunda metade do século XII, Henrique II estabeleceu um sistema com esquemas de "dividir e governar" envolvendo pequenas áreas de jurisdição em que seus famosos, e geralmente implacáveis, barões Marcher anglo-

-normandos mantinham o poder em localidades estratégicas, como Chepstow, Brecon e Monmouth. (Esses barões eram designados para supervisionar as Marches — regiões fronteiriças da Inglaterra com o País de Gales e também com a Escócia.)

As questões chegaram a termo em 1282, quando Eduardo I, sob domínio inglês, conquistou e anexou o País de Gales, derrotando o último príncipe galês — Llywelyn ap Gruffydd. Esse evento assinalou o fim de qualquer esperança de um país independente. Eduardo consolidou sua posição construindo uma série de magníficos e inexpugnáveis castelos em lugares estratégicos no País de Gales. A escala acelerada dos projetos de construção foi impressionante, maior do que tudo que ocorrera na Europa até então. Esses projetos foram supervisionados por um construtor bastante experiente, conhecido por mestre James de Saint George, e os castelos, incluindo o de Aberystwyth, Harlech, Caernarfon, Conwy e Flint, são alguns dos monumentos históricos mais ricos do Reino Unido contemporâneo. Como um historiador observou, não ocorria nada parecido no Reino Unido desde a Muralha de Adriano. Para afirmar ainda mais seu poder, Eduardo I declarou seu filho, posteriormente Eduardo II, nascido no Castelo de Caernarfon em

1284, o primeiro príncipe de Gales inglês. O filho mais velho do monarca reinante ainda ostenta tradicionalmente esse título; o príncipe Charles foi coroado príncipe de Gales em 1969.

Na virada do século XV, o ressentimento galês contra a administração e a legislação inglesas, ao lado das dificuldades econômicas e da disseminação da pobreza, provocou um confronto direto entre o líder nacionalista Owain Glyndŵr (Owen Glendower) e o rei Henrique IV. Após algum êxito inicial contra os ingleses, Glyndŵr foi derrotado pelo rei e pelo príncipe de Gales na Batalha de Shrewsbury, em 1403. Embora os galeses tenham sido vencidos, antes do fim desse século, laços sanguíneos os uniam inextricavelmente à monarquia inglesa.

Com a ascensão de Henrique VII ao poder, em 1485, nascia a dinastia Tudor, trazendo com ela ancestrais galeses importantes. Como resultado, sob o reinado de Henrique VIII, dois Atos de União essenciais, em 1536 e 1542, uniram a Inglaterra e o País de Gales nas áreas administrativa, política e legal. Esse status permanece até hoje; assim, você verá referências às "leis que governam a Inglaterra e o País de Gales", enquanto a Escócia e a Irlanda do Norte têm suas próprias legislações e sistemas legais.

Em 1997, organizou-se um referendo no País de Gales, como parte da política do governo trabalhista, para decidir se o país deveria ter uma assembleia independente simbólica, com algum controle sobre as questões galesas (a Assembleia

Nacional do País de Gales). O referendo atraiu poucos votantes (cerca de um terço do eleitorado), com aqueles a favor ganhando por uma margem mínima daqueles que rejeitavam a ideia. No entanto, esse fato poderá ser visto como um ponto de virada na história do país nos anos futuros. Westminster continua a controlar os assuntos externos, a tributação, a política econômica geral, o sistema judiciário, a seguridade social e as transmissões de rádio e TV.

CARVÃO E FERRO

Nos séculos XVIII e XIX, a Revolução Industrial teve um impacto significativo na região sul do País de Gales, onde se concentravam as aciarias, as fundições de ferro e as minas de carvão. A capital, Cardiff, cresceu no século XIX como um porto exportador de carvão, e Swansea e Newport também dependiam, para prosperar, de suas indústrias próximas, bem como de sua posição como portos no canal de Bristol. Entre os mais famosos vilarejos do aço, podemos citar Merthyr Tydfil e Ebbw Vale. Com o tempo, todos os vales com reservas de carvão atraíram colonizadores. O carvão era transportado para os portos por ferrovias e canais — o mais famoso, o canal Monmouthshire até Newport, foi aberto em 1791.

A ECONOMIA GALESA

Nos últimos vinte anos, a Agência de Desenvolvimento, órgão governamental do país, tem tido uma atuação exemplar, atraindo mais de dois mil projetos com investimentos internos para o País de Gales, com valores na casa dos catorze bilhões de libras esterlinas (22,4 bilhões de dólares), o que, por sua vez, gerou mais de duzentos mil empregos, dos quais cerca de setenta mil são em indústrias manufatureiras de propriedade de investidores estrangeiros.

O setor manufatureiro responde por aproximadamente 25% do PIB no País de Gales, comparado aos cerca de 18% no Reino Unido como um todo. O país é um centro importante de bens de consumo e de produtos eletrônicos, elétricos e ópticos, peças automotivas e motores, produtos químicos e aeroespaciais, alimentos e bebidas. Obviamente, os serviços ligados ao turismo e ao lazer também contribuem significativamente para a economia, aliados a empresas de call center cada vez mais numerosas — um clamor distante dos perigosos e opressores tempos da mineração de carvão, das aciarias e siderurgias.

O POVO E A LÍNGUA

A população do País de Gales praticamente chegou à casa dos três milhões de habitantes, com mais da metade ocupando o sul, mais industrializado. Cardiff é a maior cidade, com 325 mil habitantes, seguida de Swansea, com 230 mil.

Em comum com outras culturas celtas, como a encontrada na Irlanda, os galeses adoram teatro, poesia, oratória, debates, narração de histórias e, como já mencionamos, o canto — talentos esses representados por grandes nomes do passado e do presente.

Cerca de 20% da população se expressa em galês, língua principal no norte rural e no oeste do país. O galês é muito usado em transmissões radiofônicas ou de TV, a maioria das placas de trânsito é bilíngue, e a língua é utilizada igualmente nas assembleias inglesa e galesa.

Desde 2000, o idioma é ensinado como primeira ou segunda língua às crianças por todo o País de Gales; além disso, é utilizado como primeira língua de ensino em cerca de quinhentas escolas primárias e secundárias do país. A língua galesa tem um ritmo único, ondulante, que se transfere para a pronúncia dos galeses quando falam inglês.

Alguns nomes famosos
Entre os políticos do século XX, podemos citar David Lloyd George, primeiro-ministro liberal em exercício durante a Primeira Guerra Mundial, Aneurin Bevan, que inaugurou o Serviço Nacional de Saúde Britânico após a Segunda Guerra Mundial, e Neil Kinnock, que liderou o Partido Trabalhista na década de 1980. Os nomes dos poetas Dylan Thomas, dos cantores Tom Jones, Shirley Bassey e Bryn Tyrfel e dos atores Richard Burton, Anthony Hopkins e Catherine Zeta Jones são mundialmente famosos.

Artesanato galês

O artesanato é uma tradição viva no País de Gales, e há centros espalhados pelo país nos quais artesãos demonstram suas aptidões e vendem seus produtos, que vão desde artigos de vidro a peças de madeira, de malharia a trabalhos de tricô, de objetos de cerâmica a peças de estanho. A lã extraída dos rebanhos de ovelhas é base de uma indústria significativa, e a telha de ardósia galesa, muito abundante e ainda extensivamente utilizada na armação de telhados, tem provado ser um recurso para os artesãos, numa variedade de produtos finais que vão de placas identificadoras de casas a esculturas.

APRESENTANDO A IRLANDA DO NORTE

O rico dialeto escocês-irlandês da Irlanda do Norte é inconfundível. A introdução de assentamentos de protestantes escoceses e de sua cultura presbiteriana entre a população católica nativa sempre foi problemática, conforme a história comprova. Os "Troubles" ("Problemas"), como são normalmente chamados, permanecem uma questão política efervescente, e, embora a segurança, no que concerne aos turistas, em geral não seja um problema, há "pontos críticos" de tempos em tempos, o que torna prudente evitar, nas conversas, assuntos obviamente considerados tabus, como religião e política. Mas, semelhante ao que ocorre em outras partes na ilha da Irlanda, você vai receber uma acolhida mais afetuosa que na maioria dos países.

A província da Irlanda do Norte (muitas vezes chamada de Ulster, embora inclua somente seis dos nove condados do ex-reino do Ulster) está intrinsecamente ligada ao compasso da história britânica. Geograficamente, ela é parte da ilha da Irlanda, embora em seu ponto mais próximo esteja separada da Escócia por meros 21 km de mar — o canal do Norte.

Após uma amarga guerra civil, a famosa votação nacional de 1921 ofereceu ao povo irlandês a escolha entre a independência — o governo autônomo — ou a permanência como parte do Reino Unido. Vinte e seis condados em sua maioria católicos, inclusive três do Ulster, preferiram a independência, deixando apenas os seis condados do norte — naquela época predominantemente protestantes — como parte do Reino Unido e leais a ele. Por essa razão, eles se autodenominam legalistas (ou unionistas).

Dessa forma, há uma cultura de divisão na Irlanda do Norte, a qual emana daqueles associados à tradição protestante (principalmente anglicanos descendentes de colonizadores ingleses, e presbiterianos, de colonizadores escoceses), que se consideram britânicos, e daqueles associados à tradição católica, que se consideram irlandeses. Os dois grupos têm pontos de vista completamente diferentes.

No entanto, a tentativa atual de um processo de paz, que se iniciou em 1998 com mais de 70% da população da Irlanda do Norte (e 94% da República) apoiando o que se tornou conhecido como Acordo da Sexta-Feira Santa (Good Friday Agreement), traz esperança renovada. Continuam havendo esforços para buscar uma solução aceitável a ambos os grupos.

> ***O ACORDO DA SEXTA-FEIRA SANTA***
> Por meio desse acordo, asseguravam-se três objetivos:
> 1. O estabelecimento de uma Assembleia eleita e de um executivo representativo de ambas as tradições políticas na Irlanda do Norte.
> 2. O estabelecimento de órgãos fronteiriços para fomentar e desenvolver maior cooperação entre o Ulster e a República.
> 3. O compromisso de expandir e consolidar o relacionamento entre as ilhas da Irlanda e da Grã-Bretanha.

VISLUMBRES HISTÓRICOS

Não pretendemos aqui recontar a longa e complicada história da Irlanda. Evidências arqueológicas sugerem um breve período de ocupação romana dois mil anos atrás. A história inglesa na Irlanda remete ao reinado de Henrique II (1154-1189), que em 1171 desembarcou em Waterford com quatro mil homens e a bênção do papa Adriano IV. Ao cabo de algumas semanas, ele assegurara que todos os bispos irlandeses reconhecessem a autoridade de Roma, e a maior parte dos reis gaélicos lhe prestou homenagens.

Nas gerações que se seguiram, emergiu uma nova Irlanda feudal, baseada no modelo inglês-normando, repleta de castelos, terras arrendadas, vilarejos fortificados, monastérios e uma casta nobre francófona que, de acordo com um historiador, era "completamente distinta dos clãs baseados em parentesco e que pastoreavam gado, próprios dos gaélicos nativos".

Os assentamentos

No século XVII, o Ulster se tornou o lar dos principais "assentamentos" de colonizadores protestantes vindos da Inglaterra e da Escócia, que, por definição, implicavam o confisco de terras. Eles foram implantados por Jaime I, de 1607 em diante, em seguida à fracassada Conspiração da Pólvora (Gunpowder Plot), em 1605, cuja responsabilidade foi imputada aos católicos e que, por sua vez, deu origem às odiosas leis penais anticatólicas.

Um dos mais famosos desses assentamentos ocorreu em Derry, renomeada Londonderry, em virtude de sua "adoção" por companhias de libré da cidade de Londres (essas companhias eram associações beneficentes e profissionais que tiveram início com artesãos medievais e corporações comerciais, acumulando grande riqueza e poder). Elas assumiram a construção de áreas-chave da cidade, desde a prefeitura e a catedral até as melhores propriedades e as ruas mais imponentes, visando atrair uma nova e alta classe social protestante para governar a população católica nativa. Obviamente, grande parte da tortuosa e atormentada história moderna da Irlanda tem raízes no denominado "período dos assentamentos".

Em 1791, inspirado pela Revolução Francesa e buscando transformar a Irlanda numa república independente, um grupo de reformadores radicais se juntou, autodenominando-se Sociedade dos Irlandeses Unidos (Society of United Irishmen). Os franceses enviaram uma frota de 35 navios para a baía de Bantry, a fim de ajudá-los a ganhar a liberdade, mas o plano fracassou em virtude das más condições climáticas. O movimento foi subjugado após uma rebelião fracassada em 1798, que levou a Irlanda a ser incorporada ao Reino Unido da Irlanda e da Grã-Bretanha no Ato de União de 1801.

O lastimável desses eventos foi que William Pitt, primeiro-ministro inglês, prometera diversas concessões políticas aos católicos como parte do

Ato de União. Mas, no fim, Jorge III se recusou a sancioná-las, alegando que isso implicaria que ele fosse desleal a seu juramento de coroação, por meio do qual ele prometera defender a religião protestante. Em protesto, Pitt renunciou.

CENÁRIO POLÍTICO ATUAL
A Irlanda do Norte é delimitada por uma fronteira de 360 km com a República da Irlanda, formando a única fronteira terrestre do Reino Unido com outro país-membro da União Europeia. Cerca de metade da população de 1,7 milhão de habitantes vive na região costeira oriental, em cujo centro se situa a capital — Belfast, com população um pouco inferior a trezentas mil pessoas. Outras cidades importantes são Lisburn, Londonderry, Omagh, Antrim e Bangor. Há 26 conselhos distritais do governo local, dezoito membros do Parlamento eleitos para a Casa dos Comuns em Westminster e, por proporção representativa, três dos 87 representantes do Reino Unido eleitos para o Parlamento europeu.

No verão de 1998, foi fundada a Assembleia da Irlanda do Norte, em resposta ao Acordo da Sexta-Feira Santa e como parte do programa de devolução do governo britânico. Ela se situa em Stormont, em Belfast, e seus 108 membros têm poderes legislativos e executivos plenos. Em 2002, no entanto (e pela segunda vez), depois de não chegar a um consenso sobre aspectos do processo de paz, incluindo a questão contenciosa do desarmamento, a Assembleia foi suspensa, voltando a atuar apenas em 2007.

O ideal para muitos católicos do norte continua sendo a reunificação com a República da Irlanda, e esse é o objetivo político declarado do Partido Nacionalista irlandês radical, o Sinn Féin, e do Exército Republicano Irlandês (IRA — Irish Republican Army). Além disso, os dados demográficos favorecem a comunidade católica, que está crescendo a uma taxa mais alta.

As tradições "verde e laranja"

O aspecto cultural mais visivelmente desafiador das duas tradições é dominado pela chamada estação das marchas, que ocorre da Páscoa até o fim de setembro e envolve quase exclusivamente a comunidade protestante. As maiores paradas acontecem em julho, marcando a vitória de Guilherme III, o rei protestante da Inglaterra, sobre as forças católicas lideradas por Jaime II, em 11 de julho de 1690, na Batalha do Boyne.

Essas paradas costumam ser eventos triunfais, com bandeiras e bandas, e representam uma anomalia histórica. São organizadas basicamente pelas associações protestantes/unionistas, incluindo a Orangemen (que adotou esse nome em razão da família do rei Guilherme, da Casa de Orange).

A manifestação mais visível da cultura "verde" da comunidade católica é usar o trevo no Dia de São Patrício (17 de março). Reza a tradição que o santo patrono da Irlanda utilizava o trevo de três folhas para ilustrar a doutrina da Sagrada Trindade. Veste-se esse emblema por toda a Irlanda no Dia de São Patrício, como em outras comunidades irlandesas disseminadas mundo afora.

A ECONOMIA DA IRLANDA DO NORTE

Embora a vida rural ainda seja um fator cultural significativo na Irlanda do Norte, a agricultura e as indústrias madeireira e pesqueira respondem somente por cerca de 4% do PIB (comparado ao índice de 1,3% do Reino Unido como um todo). A indústria manufatureira contribui com cerca de 20% (média também verificada no Reino Unido), sendo sustentada por novos investimentos internos e pelo crescimento de setores como os de software, telecomunicações e serviços de redes. Os novos investimentos e novas empresas são valorizados, à medida que as antigas indústrias, como a da construção naval em Belfast, parecem estar em declínio terminal.

Emblema do linho

Belfast foi um importante centro do linho de alta qualidade, o qual teve participação significativa nas economias agrícola e manufatureira do século XIX. Hoje, esse fato é lembrado na Assembleia da Irlanda do Norte, que apresenta a flor do linho como seu emblema — as seis flores representam os seis condados.

Alguns nomes famosos
No Ulster, assim como em outras partes do mundo, a cultura, a literatura e as artes dramáticas irlandesas são muito admiradas. Alguns nomes famosos no campo da literatura são Keith Baker, Colin Bateman, Jack Higgins e C. S. Lewis, além dos poetas Ciaran Carson, John Hewitt e Louis MacNeice. Nas artes dramáticas, despontam Colin Blakely, Kenneth Branagh, Amanda Burton, James Ellis, Liam Neeson, James Nesbitt e Stephen Rea. Na música, destacam-se o flautista James Galway, o cantor e compositor Van Morrison, os pianistas Phil Coulter e Barry Douglas e o guitarrista de blues Ronnie Greer.

Capítulo **Três**

VALORES E ATITUDES

Em virtude da grande diversidade do povo britânico, é pertinente perguntar quais são seus valores comuns. A resposta para essa questão pode ser encontrada examinando-se os diferentes contextos — a mistura étnica histórica da sociedade britânica, as crenças religiosas tradicionais, a estrutura de classes e a emergência de um Reino Unido novo e multicultural.

Na realidade, não há uma "cultura britânica" homogênea — o que há são as culturas inglesa, escocesa, galesa, irlandesa, ou mesmo britânico-asiática (e assim por diante). No entanto, os ingleses são de longe o maior grupo populacional presente nessas ilhas, além de culturalmente dominantes. Portanto, grande parte deste capítulo, e muito do que se segue, descreve essencialmente as características inglesas — embora muitas delas se apliquem a todos os povos.

Algumas "virtudes" e "vícios"
Os ingleses adoram a natureza e a criatividade, a ordem e a harmonia, a língua e a presença de espírito. Por outro lado, detestam a pompa. Com personalidade curiosa, são tolerantes e justos,

modestos, práticos, perseverantes e autossuficientes.

No entanto, eles podem parecer "superiores", individualistas e reservados. Podem gostar demais de álcool e da "cultura dos pubs", e se dizer anti-intelectuais. Podem também ser teimosos (*bloody-minded*) e céticos.

Houve uma série de mudanças sociais fundamentais no Reino Unido pós-Thatcher,* sendo uma delas a atenuação das barreiras impostas pelas antigas classes. A ênfase dispensada à realização individual durante a era Thatcher provocou uma expansão enorme da atividade empreendedora. Esse fenômeno, aliado a imperativos econômicos variáveis, resultou em uma cultura de contratos de emprego de curto prazo, que gerou entre os trabalhadores noções diferentes de lealdade, responsabilidade grupal e percepção de si na comunidade.

A IRONIA

O colunista de um jornal britânico certa vez escreveu que, após ter morado no exterior durante um longo período, sentia grande alívio em voltar para o Reino Unido, onde estava "no mesmo ritmo" que as outras pessoas. Tal crítica se referia ao senso de ironia britânico, uma das artérias da comunicação cotidiana.

---

* Margaret Thatcher (1925-2013), ex-primeira-ministra inglesa, que governou de 1979 a 1990. (N. do T.)

É possível afirmar que muito do que os britânicos dizem não é exatamente o que eles querem dizer. Isso é evidente para os nativos, mas pode causar mal-entendidos entre os estrangeiros. Esse aspecto particular da natureza britânica não parece coadunar com povos de outra nacionalidade.

A ironia tem a ver com a autodepreciação, com a tendência de rir de si mesmo e de uma situação própria, e serve como antecipação de uma situação divertida e contínua. É um gatilho para as risadas, que, parafraseando Billy Connolly, os britânicos veem como um remédio para o corpo, a mente e o espírito.

Não surpreendentemente, os britânicos não são sempre educados entre si, hábito que pode ser opressivo em outras culturas, e se irritam com pessoas que consideram tolas ou burras. Os ingleses são bons para se expor quando é preciso, embora possam reclamar disso — mas logo se divertem, e geralmente também são bons nisso. Chaucer conseguiu interpretar a natureza britânica muito bem, e usou a ironia, a paródia e o burlesco com grande efeito nos *Contos de Canterbury*.

A CONFIANÇA

Em seu livro *Confiança*, Francis Fukuyama aborda as culturas e os diferentes níveis de confiança que sustentam, e cita o Reino Unido e o Japão como culturas baseadas em "alto nível de confiança". A confiança está implícita no modo como os britânicos resolvem assuntos relacionados ao governo, em sua abordagem da lei e da ordem, segundo o princípio de que o conjunto de diretrizes é feito "com o consentimento do povo" na maneira como o sistema judiciário opera. A confiança é natural para os britânicos.

Não é de surpreender, portanto, que o nível de confiança estendido às pessoas na vida rotineira também seja notável, muito embora ele venha sendo seriamente minado por uma crescente onda de materialismo e egoísmo. A tradição do "acordo entre cavalheiros" modelou essa filosofia de vida e continua sendo apreciado, especialmente pelas gerações mais velhas, comprometidas com os valores tradicionais.

O "JOGO LIMPO"

Existe um antigo ditado que diz: "A palavra de um inglês é seu contrato". Ou seja, a sociedade inglesa não é governada por uma Constituição escrita ou uma Carta de Direitos; em vez disso, ela se conduz de maneira autônoma, com base na confiança mútua e no senso de justiça, de "jogo limpo". Para alguns, essa característica é mais bem expressa no jogo nacional de críquete.

Embora incompreensível para a maior parte do mundo (exceto nos poucos países em que ele é praticado), o críquete exige grande habilidade e discernimento, particularmente por parte do juiz, que deve tomar decisões importantes a cada jogada. Trata-se de uma questão de "jogar limpo", e de fato a expressão *It's not cricket* ("Isso não é justo" ou "Isso não é certo") resume a ideia inglesa de justiça.

No fim da década de 1990, perguntaram ao famoso árbitro inglês de críquete Dickie Bird, hoje aposentado: "O que é ser inglês?" Ele respondeu com as seguintes palavras: "Cerveja, honestidade, virtudes, família real, críquete e o clima". Ainda usou a frase "não desistir quando a situação fica preta". Respondendo à mesma pergunta, Jeffrey Richards, professor de cultura na Universidade de Lancaster, observou: "senso de humor" e "senso de superioridade — não dissimulado — em relação aos estrangeiros". Outro comentarista mencionou o *stiff upper lip* (literalmente, "lábio superior rígido"), ou seja, a tendência a tolerar situações desagradáveis sem reclamar, resumida na frase da classe trabalhadora: "Não devemos nos queixar".

A MANUTENÇÃO DA ORDEM

A expressão inglesa de que "há um momento e um lugar para tudo" sugere a necessidade de ordem. Isso pode ser visto no modo como as pessoas ficam em fila à espera do transporte público e em outros serviços; na ordem com que os britânicos conduzem sua vida rotineira e cívica; na exigência de sempre "se portar de forma ordeira" em eventos públicos — reforçada diariamente pelo orador da Casa dos Comuns, que pede (e às vezes brada) "Ordem!" para silenciar os parlamentares mais exaltados.

Não é de surpreender que esse desejo por ordem se reflita no modo como os britânicos tradicionalmente se vestem. Eles nutrem paixão por uniformes, em particular por aqueles ligados à pompa e à cerimônia de grandes eventos públicos.

Até na vida rotineira, há uma necessidade de uniformidade no trajar, geralmente começando com o uniforme escolar, obrigatório em muitas escolas, mas singularmente importante nas particulares. Daí a importância de usar a gravata da escola antiga na fase adulta, em determinados eventos sociais, para indicar quem você é e de onde vem.

O SENSO DE IDENTIDADE

Diferentemente da Escócia e do País de Gales, a Inglaterra não tem um traje nacional típico. Por outro lado, os costumes e as tradições ingleses envolvem vários tipos de vestimentas, do fausto associado à monarquia e a grandes eventos de Estado, passando pelo uniforme vermelho e preto usado pelos guardas da Torre de Londres (Beefeaters), até as vestimentas tradicionais usadas pelos dançarinos de morris e outras danças nas feiras rurais do país.

As demonstrações públicas de identidade nacional são tão raras (ou até desvalorizadas) na Inglaterra, em relação às que existem em outras partes do mundo, que os feriados nacionais ingleses geralmente não incluem nem o Dia de São Jorge (padroeiro da Inglaterra, famoso por matar um dragão), em 23 de abril. De fato, esse feriado geralmente passa despercebido, o que não acontece com as comemorações feitas pelos irlandeses para marcar o Dia de São Patrício, em 17 de março, as quais ecoam mundo afora. Os ingleses, ao que tudo indica, não sentem necessidade desse tipo de celebração.

No entanto, o que aconteceu nos Jogos da Commonwealth de 2002 pode ter marcado um ponto de virada. Pela primeira vez na história, uma multidão de torcedores ingleses que assistia aos jogos em Manchester entoou "Terra de esperança e glória" como "hino nacional" para aclamar os atletas ingleses vitoriosos no pódio, em vez de "Deus salve a rainha".

O ar de superioridade
Isso pode ser expresso assim: "O resto do mundo precisa ficar nos dizendo quanto seu povo é maravilhoso, como os franceses, italianos ou alemães, que imaginam que um mundo perfeito consistiria apenas de franceses, italianos ou alemães. Mas os ingleses, que se misturam com todos, não necessitam propagandear como são bons. Eles simplesmente *sabem* que são os melhores".

O SENSO DE JUSTIÇA E O COMPROMETIMENTO
Tolerância, jogo limpo e comprometimento são qualidades fundamentais da personalidade

britânica, assim como um forte senso de justiça, que se baseia em todas essas características e permanece uma paixão constante. Daí a existência de um enorme número de instituições beneficentes no país e o grande número de trabalhos voluntários feito na comunidade.

Nos últimos anos, no entanto, o consenso tem passado de um senso de obrigação a um novo foco em direitos e interesses individuais, e a preocupação com a justiça, que tradicionalmente guiava o comportamento de indivíduos e grupos, é menos aparente. Por sua vez, essa atitude tem alimentado políticas para satisfazer "questões singulares", que tendem a se engajar em extremos, como é o caso do movimento pelos direitos dos animais ou do Partido Nacional Britânico ultraconservador.

REALEZA, CLASSE E "HONRARIAS"
Apesar de todas as mudanças nos cenários econômico, legal e social no fim do século XX e início do século XXI, ainda é válido dizer que, para entender a sociedade inglesa (em oposição à escocesa, galesa ou irlandesa), é preciso que se entenda o sistema de classes. Isso continua a vicejar.

São três as divisões de classe mais importantes na Inglaterra (que se aplicam também à Escócia, mas talvez menos ao País de Gales): classes alta, média e baixa, ou classe trabalhadora. Elas são mais bem descritas no capítulo 7.

Até bem recentemente, o senso do "eu" e os relacionamentos interpessoais eram informados pelas visões que as pessoas tinham do próprio status dentro dessa estrutura de classes. A família real é essencial à sobrevivência do sistema de classes, pois define a posição das pessoas na sociedade. Sem a realeza, não haveria novos títulos, nenhuma aquisição de status e, consequentemente, nenhuma confirmação pública do lugar das pessoas na sociedade (diferentemente da hierarquia da riqueza prevalente na maioria dos outros países). Através dos séculos, o republicanismo tem tido altos e baixos, mas permanece uma questão minoritária.

No que diz respeito ao comportamento social, é válido dizer que, quanto maior a posição na hierarquia, maior a observação das convenções e das formalidades antigas refletidas no velho ditado: "Os modos fazem o homem".

As listas de "honrarias"

O Reino Unido tem um sistema público de premiação conhecido por "honrarias", que confere reconhecimento a pessoas ilustres em atividades ligadas a todos os aspectos da vida, de servir ao país como diplomata, político ou funcionário público a fazer contribuições notáveis para a indústria, os esportes e as artes. Há muitos níveis diferentes no próprio sistema, o que significa que pessoas de todas as classes sociais podem aspirar à ascensão. Um joão-ninguém muito bem-sucedido e honrado pode, um dia, se tornar lorde João-

-Ninguém. Trata-se ainda de um método benigno de cooptar pessoas talentosas para o sistema!

Não é de surpreender, portanto, que a graduação de honrarias seja extremamente minuciosa, indo da nobreza a títulos menores. As listas de honrarias, como são chamadas, são anunciadas duas vezes ao ano e conhecidas por Honrarias do Ano Novo e Honrarias do Aniversário da Rainha. A lista de Honrarias do Ano Novo é basicamente compilada pelo primeiro--ministro, aconselhado por ministros e servidores públicos. A lista de Honrarias do Aniversário da Rainha, embora também elaborada pelo conselho de ministros e servidores públicos, recebe contribuição direta da própria rainha, com seu corpo consultivo. Os títulos são conferidos de forma tão ampla hoje em dia que algumas pessoas sentem que seu valor inerente se tornou depreciado. Também há membros do Partido Trabalhista que gostariam de ver a extinção de todo o sistema.

A RELIGIÃO

A Inglaterra, tanto na prática como na tradição, continua sendo um país cristão, ainda que com representações significativas de outras crenças, especialmente hindu, sikh, muçulmana e judaica. A Igreja Católica continua concentrando o maior número de praticantes adultos de qualquer denominação cristã, com mais de um milhão de pessoas participando regularmente das missas.

A Igreja Anglicana (Nacional Inglesa), no entanto, é a única oficial do Reino Unido. Seu superior, o arcebispo de Canterbury, é escolhido pelo monarca sob aconselhamento do primeiro-ministro. Seus membros são conhecidos como anglicanos, e a Comunhão Anglicana, mais ampla, é representada num total de 38 países.

Sob as leis correntes, escolas de educação religiosa, como católicas e anglicanas, têm o direito de existir e de ser amparadas pelo Estado, do mesmo modo que as escolas não religiosas. A Páscoa e o Natal, os dois eventos mais importantes do calendário cristão, são feriados nacionais. Ao mesmo tempo, parcialmente em virtude de uma visão mais esclarecida de outras crenças por parte das escolas e da mídia, as festividades observadas por outras religiões, como o Diwali (hinduísmo), o Ramadã (islamismo), o Vaisakhi (sikhismo) e o Passover (judaísmo), são mais amplamente entendidas e respeitadas.

A frequência às igrejas entre os cristãos caiu drasticamente no último quarto do século XX — até o ponto em que alguns observadores no início do século XXI questionaram se o Reino Unido ainda tinha uma maioria de crentes.

Todavia, organizações religiosas, incluindo muitos grupos compostos por indivíduos de fés variadas, continuam ativamente envolvidas em trabalhos voluntários e na prestação de serviços sociais.

No Reino Unido como um todo, e na Inglaterra em particular, a tradição protestante gerou um patrimônio arquitetônico extremamente variado. Em um vilarejo típico, por exemplo, você pode ver diversas igrejas protestantes: anglicana, metodista, batista, reformada unida, dos Irmãos de Plymouth, do Exército da Salvação, pentecostal e quacre (que, no fundo, não são muitas se comparadas aos trezentos ou mais tipos de crenças protestantes encontrados nos EUA). À medida que a frequência às igrejas cai, ou desaparece totalmente, muitas dessas edificações se transformam em moradias privadas ou em centros comunitários.

Os desenvolvimentos mais recentes na tradição católica têm incluído o aumento do movimento carismático, representado principalmente pelas Assembleias de Deus e pela Igreja Pentecostal Elim. Em decorrência da significativa imigração do Caribe desde a década de 1950, nota-se um aumento no número de igrejas pentecostais.

Uma modesta contribuição para a dimensão espiritual da vida é propagada pela BBC, em suas transmissões matinais "Thought for Today" (no programa *Today*, da Rádio 4), em que líderes espirituais e religiosos de diferentes estilos de vida oferecem uma breve homilia. Há também o programa semanal *Songs of Praise*, da BBC TV, transmitido de diferentes igrejas por todo o país, que inclui hinos, pensamentos para reflexão e uma celebração histórica da localidade. O lugar preferido para a celebração de casamentos no Reino Unido continua sendo a igreja.

O SENSO DE DEVER
Embora atualmente se ouçam relatos de indivíduos e grupos que exigem seus direitos, o desejo individual de tomar parte em trabalhos voluntários para o benefício de terceiros permanece um traço particular e notável da natureza britânica. Há mais de 185 mil organizações beneficentes registradas junto à Comissão de Caridade para a Inglaterra e o País de Gales. Além disso, milhares de outros grupos se reúnem para apoiar atividades comunitárias e necessidades locais no que se refere ao bem-estar social, à educação, aos esportes, à moradia, ao meio ambiente e às artes. Eventos nacionais anuais, como o Red Nose Day (quando milhares de pessoas compram e usam um nariz de plástico vermelho e não se preocupam se vão parecer ridículas), realizado em março com patrocínio da Independent Television (ITV), e o Children in Need, campanha realizada em novembro, patrocinada pela BBC, visam arrecadar fundos junto a empresas, grupos comunitários e cidadãos comuns para ajudar instituições de caridade.

> **O EXÉRCITO DA SALVAÇÃO (SALLY ARMY)**
> Fundado em Londres, em 1865, por William Booth, o extremamente respeitado Exército da Salvação constitui uma das principais organizações cristãs no Reino Unido. É o maior e mais diversificado prestador de serviços sociais depois do governo. Também fornece acomodação em alojamentos, oferecendo mais de trezentos leitos todas as noites para pessoas sem-teto. Outros serviços incluem trabalhos com alcoólatras e um sistema de rastreamento familiar.

A implantação da Loteria Nacional, em 1994, teve um impacto negativo na quantia de dinheiro repassada para instituições de caridade; por outro lado, uma proporção significativa da arrecadação da loteria é destinada a "boas causas". No entanto, há uma preocupação constante de que o declínio na participação em loterias (abaixo de 50% das famílias), no início do novo século, seja uma tendência de longo prazo, o que poderá prejudicar essas boas causas.

Em 1998, um estudo da British Social Attitudes Survey revelou que uma em cada cinco pessoas nas várias regiões do Reino Unido tinha tomado parte em trabalhos beneficentes não remunerados no ano anterior.

ALTA OU BAIXA CULTURA?

O Reino Unido não tem um ambiente de "alta cultura" estruturado, como a França, a Alemanha ou até a República Tcheca, em que as artes são o grande marco da vida e do comportamento civilizados, contra o qual todos os outros níveis de comportamento são avaliados e que consomem tudo em termos de finanças, interesse da mídia e protocolo geral.

Notadamente, as artes no país florescem, apesar do apoio insuficiente do Estado, que, independentemente do partido político no poder, tem adotado a mesma perspectiva anti-intelectual filisteia segundo a qual somente será doado dinheiro às artes se elas forem consideradas de "interesse cultural" nacional num momento específico, e não como um processo continuado. Os grandes templos britânicos das artes, como a National Gallery ou a Royal Opera House, em Londres, são exemplos disso, lutando com dificuldade para se manter independentes e obter financiamento governamental suficiente para se expandir e ousar.

As artes geralmente são encaradas como divisoras. A ópera, por exemplo, é percebida por muita gente como um espetáculo somente para os ricos, embora com frequência haja ingressos baratos. Os ingleses adoram comitês, de modo que o governo prontamente apoia "quangos" (*quasi-autonomous nongovernmental organizations*, organizações não governamentais quase autônomas), como o Conselho de Artes, um dos canais pelos quais as artes são gerenciadas e subsidiadas e acordos apropriados são atingidos.

BEBIDAS E A ÉTICA DO TRABALHO

Tradicionalmente, os britânicos nunca foram conhecidos por se dedicar de maneira extremamente diligente ao trabalho: a maioria trabalhava apenas para ganhar o dinheiro do próprio sustento. A "devoção ao dever" e a ideia de trabalhar com afinco (com honradas exceções, sem dúvida) não são algo que lhes vem à cabeça com facilidade. Não surpreendentemente, devido à cruel exploração da mão de obra durante a Revolução Industrial, foram os britânicos que fundaram o primeiro movimento sindicalista do mundo, a fim de proteger os direitos do trabalhador organizado. No cenário contemporâneo, caracterizado pela racionalização econômica e pelo "valor percebido" do dinheiro, essa atitude também tem se disseminado para os servidores civis, outrora um modelo de eficiência, e para o setor público de modo geral.

Parte do problema, voltando à época de Chaucer, deve-se à paixão pelo álcool — notadamente pela cerveja, antes chamada de *ale*, e pelo vinho, que tem caído no gosto popular. De fato, até metade do século XX, na Inglaterra havia mais bares (conhecidos por *public houses* ou *pubs*) do que em qualquer outro país do mundo. Dizia-se que havia um pub em cada esquina de cada vilarejo do país.

A Revolução Industrial foi "lubrificada" com álcool; os grandes projetos nacionais, como a construção das ferrovias e das docas de Londres e Liverpool, não conseguiriam ser concluídos sem ele. Hoje, beber continua parte do modo de vida inglês. Alguns pubs na região rural têm sofrido por causa da legislação de lei seca (não dirigir após ter bebido), mas esses estabelecimentos permanecem como o coração das comunidades locais.

Como sempre, algum excesso é inevitável, com resultados deploráveis, como o vandalismo e as brigas nos estádios de futebol. Além disso, há estudos que apontam sinais preocupantes do aumento do hábito de beber, que hoje em dia está afetando mais a população jovem, especialmente meninas e moças.

HUMOR COMO DIVERSÃO

O humor, como vimos, pontua a vida cotidiana inglesa e abarca muitos tipos de respostas emocionais. As encenações no palco — uma forma popular de entretenimento — vão desde os shows de *stand-up* ao "teatro do absurdo", de "videocassetadas" (escorregar numa casca de banana ou bater de frente num poste de rua) a "pegadinhas" (com cômicos ou palhaços), de sátiras a paródias, de autogozação a situações escatológicas, de farsas a ironias.

Há humor em se vestir com roupas do sexo oposto — outrora um requisito para todos os dramas da fase shakespeariana, mas hoje encontrado particularmente em pantominas, como nos espetáculos clássicos infantis, por exemplo, *João e o pé de feijão*, *Cinderela* e *O gato de botas*, que exigem que o personagem principal (o herói) seja representado por uma garota bonita, e a "madrasta perversa" (a personagem cômica), por um homem atarracado de meia-idade — a "dama da pantomina".

Na televisão, os programas exploram uma faixa similar de humor, com a adição de séries de comédia. Atualmente, estas incluem diversos "enlatados" americanos muito populares, por exemplo, *Friends*, *Seinfeld* e *Frasier*. Os desenhos animados, como *Os Simpsons*, também têm altos índices de audiência — e não somente entre as crianças!

O mundo do teatro amador
Os britânicos são muito autossuficientes. Esse fato, combinado com um desejo praticamente insaciável de participação, contribuiu para o surgimento de um fenômeno conhecido como teatro amador. Em todas as regiões do país é possível encontrar grupos amadores de arte dramática exibindo peças teatrais, musicais e outros tipos de entretenimento. Durante a Segunda Guerra Mundial, os britânicos nos campos de prisioneiros da Alemanha formaram muitos grupos semelhantes a esses para fins de recreação.

Capítulo **Quatro**

A MONARQUIA, A POLÍTICA E O GOVERNO

UMA VISÃO PANORÂMICA

O visitante deve saber que o Reino Unido, considerado o "berço da democracia", vive às turras com o resto das nações desenvolvidas pelo fato de não ter uma Constituição escrita. Em vez desse estatuto, as leis e os decretos são sancionados determinando-se a natureza da democracia e as liberdades desfrutadas pelas pessoas como um processo contínuo.

Além disso, a justiça legal é amplamente baseada no que se denomina *regra do precedente* — em outras palavras, o que foi determinado no passado, por meio de regramentos legais, induz o presente.

O aparato completo do sistema jurídico se fundamenta na história, incluindo as convenções da Corte e dos trajes, que essencialmente remontam aos séculos XVIII e XIX. Isso claramente agrada aos ingleses, e não há nenhum sinal de que essas tradições estejam sendo eliminadas. Exceto pelo fato de que, no verão de 2003, o governo repentinamente anunciou que iria abolir o cargo de presidente da Câmara dos Lordes — o mais antigo e notável cargo público da nação — e substituí-lo por um Departamento de Assuntos Constitucionais.

Outras reformas do sistema judiciário também estão sendo consideradas, inclusive a abolição da Casa dos Lordes, a mais alta Corte da nação, a ser substituída por uma Suprema Corte, ao estilo norte-americano. Se você está em Londres, vale a pena visitar a Public Gallery durante as atividades da Casa dos Comuns, para ver em primeira mão a "Mãe dos Parlamentos".

A Inglaterra e o País de Gales, de um lado, e a Escócia, de outro, continuam — exatamente como era antes do Tratado de União (1707) — a ter um sistema diferenciado para o legislativo (incluindo a polícia), o judiciário, os sistemas educacionais, os sistemas de governo locais, as igrejas nacionais e os departamentos governamentais. Como vimos, desde 1999 a Escócia tem seu próprio Parlamento, enquanto o País de Gales tem uma Assembleia, com poderes consideravelmente menores. A Irlanda do Norte tem um governo autônomo, que lhe foi restituído em 2000.

O Parlamento mais antigo do mundo

Curiosamente, a legislatura autônoma mais antiga do mundo se encontra em Tynwald, na ilha de Man, a qual existe há mais de mil anos. Originalmente sob o domínio da Noruega até 1266, passou a ter administração direta da Coroa britânica em 1765.

Esse processo recente de "devolução de poderes" inclui ainda uma mudança em Londres, com um prefeito eleito e uma assembleia de 25 membros eleita separadamente (conhecida como Greater London Authority) desde 2000. Outras cidades metropolitanas estão procurando seguir esse formato, e, obviamente, algumas das regiões inglesas, sobretudo no norte, e com fortes estímulos do governo, começaram a considerar o valor e a relevância de ter suas próprias assembleias.

FUNÇÕES DA RAINHA

A monarquia é a instituição governamental mais antiga do Reino Unido, remontando à era de Egberto, rei de Wessex, que unificou a Inglaterra em 829. A única interrupção ocorrida foi a república de curta duração, ou Commonwealth, estabelecida por Oliver Cromwell, que perdurou por onze anos (1649-1660). O fim dessa breve experiência com o republicanismo foi lamentado por poucos.

O título oficial da rainha é "Elizabeth, a Segunda, pela Graça de Deus, Rainha do Reino Unido da Grã-Bretanha e Irlanda do Norte e de Seus Outros Reinos e Territórios, Chefe da Comunidade de Nações, Defensora da Fé". Ela ainda é chefe de Estado de outros quinze territórios, incluindo as ilhas Bermudas e as Malvinas (Falklands, para os britânicos), e de quinze países da Commonwealth (incluindo Austrália, Nova Zelândia, Bahamas, Barbados, Canadá e Jamaica), onde é representada por um governador-geral, indicado por ela própria, com o aconselhamento dos ministros das nações envolvidas e independentemente do governo britânico.

Em termos legais, a rainha é chefe do executivo e, portanto, chefe de Estado. É parte integrante da legislatura governamental, chefe do judiciário e comandante-chefe de todas as Forças Armadas da Coroa. É também a "governadora suprema" da Igreja oficial.

Sanção real

Se um decreto passa por todos os estágios do Parlamento, é enviado à rainha para a sanção real, após a qual se torna lei e integra a legislação do território. Ao longo dos séculos, no entanto, o poder absoluto do(a) monarca foi praticamente extinto, com os atos da rainha passando a se basear no aconselhamento dos ministros de seu governo. Ela lhes concede audiências (por exemplo, tem reuniões semanais com o primeiro-ministro, durante as quais são discutidas questões de Estado), recebe informes sobre as decisões do gabinete, lê despachos e assina documentos oficiais. O Reino Unido, portanto, é administrado pelo governo de Sua Majestade, em nome da Rainha.

PARTIDOS POLÍTICOS

Em linhas gerais, o sistema político no Reino Unido é dividido em alinhamentos de classes, embora todos os partidos aleguem que se baseiam em princípios ideológicos. Assim, há o Partido Conservador e Unionista (a palavra *unionista* também se refere aos partidos unionistas protestantes da Irlanda do Norte, que apoiam a união continuada com o Reino Unido), cuja história dura há mais de duzentos anos.

Historicamente, a legenda se considera defensora das tradições, dos proprietários de terras e da classe média; mas, no mundo de hoje, dos "votos indecisos", dos descomprometidos politicamente, das distinções sociais cada vez mais nebulosas e dos desafios imediatos do Novo Partido Trabalhista, que adotou muitas políticas conservadoras quando chegou ao poder em 1997, tem atraído um amplo espectro cultural.

Os conservadores também são chamados de Tories — termo originalmente com conotações depreciativas, de origem irlandesa, que significa "bandoleiro" e surgiu no período de Carlos II. Naquela época, a outra facção política era denominada de Whigs (os democrata-liberais de hoje), palavra de origem escocesa que designa um tipo de leite amargo.

O Partido Trabalhista, fundado no final do século XIX pelo movimento sindical, era tradicionalmente o representante das classes operárias. O novo Partido Trabalhista "Blairista",* no entanto, interessava sobretudo à "Middle England" — as classes médias —, que incluía muitos "eleitores indecisos". Após perder as eleições em 2010, o partido tem buscado uma reconexão com seus apoiadores da classe trabalhadora tradicional.

A terceira grande legenda é o Partido Democrático Liberal, formado em 1988, quando o Partido Liberal, que também tem raízes que remontam a mais de duzentos anos, se fundiu com o Partido Democrático Social, fundado em 1981. Sua posição é de centro-esquerda, atraindo a "intelectualidade". O partido fez campanha pela representação proporcional no Parlamento e imprime esforços para tomar todas as decisões de acordo com os "mais altos padrões éticos". Após as eleições gerais de 2010, que resultaram na suspensão do Parlamento, os liberal-democratas se uniram aos conservadores em um governo de coalizão, o que colocou os liberais de volta ao poder pela primeira vez em mais de setenta anos. Os conservadores e os trabalhistas estiveram no

---

* Referência ao ex-primeiro-ministro inglês Tony Blair, que foi líder do Partido Trabalhista. (N. do T.)

governo oito vezes cada um desde a Segunda Guerra Mundial.

O direito à autopromoção
As eleições gerais para votar num novo governo, que se realizam a cada quatro ou cinco anos, apresentam uma oportunidade para a natureza ricamente idiossincrática dos ingleses se exibir por inteiro, em particular no que se refere ao número de partidos "minoritários" ridículos e sem esperanças que brotam da noite para o dia. O que mais chamou atenção nos últimos tempos foi o Monster Raving Loony Party (algo como Partido Desvairado dos Monstros), criado pelo autoproclamado "Lorde Sutch", que oferecia uma alternativa para qualquer pessoa desgostosa o bastante com o sistema político para dar a ele o seu voto. De acordo com as regras, no entanto, qualquer partido (ou indivíduo) que se candidate à eleição também é obrigado a fazer um depósito em dinheiro, valor perdido se o candidato não obtiver um mínimo de 5% de todos os votos auferidos.

A ETIQUETA DA "CASA"
Não será nenhuma surpresa para o leitor ser informado de que o Parlamento, sede do governo no Reino Unido, é sustentado por um grande número de convenções que permanecem ao longo dos séculos. Por exemplo, durante os debates na Casa dos Comuns ("a Casa"), os membros do Parlamento (MPs) não podem usar o nome dos

outros congressistas; os colegas são chamados de "Meu Honorável Amigo", ou, se forem conselheiros consultivos, "Meu Caro Honorável Amigo". No entanto, se eles forem oponentes, o tratamento deverá ser algo como "honoráveis senhores (ou senhoras)". Não há aplausos, e qualquer membro pode mostrar apenas concordância (por isso os gritos *Hear, hear*) ou discordância verbal.

Além disso, há uma lista de palavras proibidas no Parlamento. Mais importante: não é permitido chamar um membro honorário de mentiroso, mas pode-se dizer que ele está sendo "econômico com a verdade"!

O presidente da Casa dos Comuns, quando ela está *sitting*, isto é, em sessão, é denominado orador. Ele, ou ela, determina quem deve falar, sendo ainda responsável por manter o controle durante os debates no plenário. Se o orador ficar em pé em algum momento, em razão de desordem, todos os membros são obrigados a se sentar.

Capítulo **Cinco**

COMIDAS E BEBIDAS

A cozinha britânica tem sido muito difamada, ainda que haja alguns conceitos sobre ela que podem ser parcialmente verdadeiros. Por exemplo, diz-se que os puritanos do século XVII influenciaram negativamente todos os aspectos da vida inglesa, deixando somente uma vaga lembrança das tradições da "Inglaterra feliz" que os antecedeu. A culinária, ou a paixão por ela, provavelmente não escapou dessa sina.

Então, no século XX, os anos de austeridade e racionamento no período das guerras também tiveram seus efeitos na culinária, e as pessoas "se viravam" — em muitos casos de maneira engenhosa — com qualquer coisa que conseguissem obter, ou plantavam para a própria subsistência. Como resultado, elas se acostumaram a produtos de qualidade inferior durante certo tempo. O ator John Cleese, famoso pela participação no grupo de comédia Monty Phyton, recorda como, para seus pais, a única coisa importante na mesa de jantar era que os pratos estivessem quentes. A qualidade da comida tinha importância secundária.

Apesar das histórias e dos estereótipos, a gastronomia britânica, em sua melhor forma, é sempre maravilhosa. A terra fértil e o clima temperado, convenientes tanto para a agricultura como para a criação de gado, produzem carnes, cereais e legumes de boa qualidade e uma abundância de frutas deliciosas. Cercado de água, o Reino Unido tem estoque suficiente de uma grande variedade de peixes e frutos do mar. O comércio com países de todas as regiões do planeta trouxe especiarias aromáticas, picantes e suaves e acolheu "novos" alimentos, como batatas, laranjas e abacaxis. Com uma profusão de ingredientes, o Reino Unido se tornou especialista na preparação e na produção de uma grande variedade de queijos, carnes e pescados defumados e curados, além dos pratos favoritos ingleses, como rosbife, carne de aves e de caça, sopas nutritivas e cozidos feitos em fogo baixo, pudim de Yorkshire, torta de carne e rins, cozido de Lancashire, tortas de frutas e pudins no vapor. A cerveja britânica, a cidra e o "scotch" são famosos pela qualidade.

Às vezes a comida britânica é descrita como "sem graça", mas isso foi, e ainda é, atenuado pelo uso de condimentos ácidos, ardidos ou picantes — mostarda, vinagre, raiz-forte, pimenta, picles e chutneys.

O Reino Unido perdeu sua reputação de uma nação que adora comida devido, principalmente, aos pratos disponíveis em instituições e restaurantes, aos quais, durante muitos anos, até a década de 1960, geralmente faltavam a imaginação e a iniciativa de produzir pratos que motivassem as pessoas a comer fora. Os britânicos não tinham uma forte tradição de comer em restaurantes por prazer. A partir daí, as coisas começaram a acontecer: as pessoas queriam comer fora com mais frequência e exigiam uma comida de mais qualidade. Gradualmente, aumentou o número de novos restaurantes nas cidades, e, com o aumento da competição e do ímpeto, a cultura de frequentar restaurantes começou a melhorar.

Em seguida, foram aparecendo os programas culinários na TV, e atualmente há diversos programas radiofônicos e televisivos à disposição dos britânicos, devotados ao tema da cozinha — como cultivar, preparar, cozinhar e apreciar os alimentos. A explosão da mídia mundial nessa área foi um fenômeno. De fato, a venda de livros de culinária ultrapassou por um tempo a da Bíblia.

Na atualidade, os restaurantes de Londres e das principais cidades servem a culinária inglesa e a internacional com os mais altos padrões de qualidade. Comer em restaurantes hoje é muito mais comum, e isso é influenciado, em parte, pelo aumento da renda, pela cultura do fast-food entre os jovens e também pela tendência de profissionais superocupados, que não cozinham frequentemente em casa após longas horas de trabalho, optarem por relaxar degustando uma refeição preparada por outra pessoa.

Essa "descoberta" do sabor e da variedade de pratos também acarretou o aumento do número de restaurantes chineses e indianos no Reino Unido, sendo a culinária indiana a opção favorita entre as comidas "estrangeiras" — tanto é que todo ano há uma competição veiculada na TV para eleger a comida indiana mais gostosa da ilha, e dizem que o prato preferido dos britânicos é o frango à moda *tikka masala*!

A história do *fish & chips*

Os ingleses adoram batatas fritas na hora, preparadas com batatas de verdade, que, para os aficionados, são muito superiores às batatinhas processadas servidas pelas redes de fast-food. As casas de *fish & chips* (peixe e batata fritos), como as que conhecemos hoje, surgiram pela primeira vez na década de 1860 e se expandiram rapidamente, graças às primeiras traineiras a vapor que traziam enormes quantidades de pescados do Atlântico Norte e dos mares próximos da Noruega e da Islândia. Seus clientes eram o imenso contingente de trabalhadores empregados nas indústrias, em plena expansão no Reino Unido.

A National Federation of Fish Friers (Federação Nacional de Fritadores de Peixes), instituída em 1913, representa o maior mercado alimentício do tipo "para levar" no Reino Unido, envolvendo cerca de oito mil estabelecimentos de *fish & chips* pelo país. Eles continuam a prosperar em cidades, vilarejos e vilas onde houver demanda.

O pescado favorito tradicional é o bacalhau, embora hoje seja o mais caro por causa da diminuição dos estoques. O arenque e a solha vêm depois em popularidade, assim como os peixes regionais. As batatinhas também são vendidas como acompanhamento de carne de frango, de vaca, torta de frango ou de carne e linguiça, ou mesmo sozinhas, como prato principal. O prato é servido sempre com sal e vinagre — condimentos essenciais para uma refeição original de *fish & chips* —, ou ainda com ketchup ou *brown sauce* (uma mistura de ketchup com molho inglês). Esse prato era tradicionalmente servido enrolado em folhas de jornal, mas as leis sanitárias modernas insistem na utilização de papéis ou caixas de papelão.

REFEIÇÕES DO DIA

O ótimo café da manhã britânico

Hotéis, pousadas e cafés de todo o país continuam servindo o "café da manhã inglês completo" para aqueles que assim desejarem. São oferecidos sucos de fruta ou cereais, seguidos de alguns acompanhamentos, muitos dos quais fritos ou grelhados: bacon, ovos, linguiças, tomates, cogumelos, rins, morcelas, feijão assado com molho de tomate, acompanhados de torrada e manteiga. Para enfrentar esse prato desafiador, os amantes de molhos podem adicionar ketchup ou *brown sauce*. A refeição é complementada com mais torradas, manteiga, geleia de frutas cítricas e chá ou café.

Conforto caseiro

O *brown sauce* mais famoso é o HP Sauce, cuja consistência é parecida com a do ketchup; aqueles que o utilizam gostam de sua picância — os ingredientes incluem malte, tomates, melaço e vinagre. Aparentemente seu consumo se concentra nas esferas sociais mais altas: o HP Sauce tem o prestígio de uma garantia real!

Cereais com leite, mingau de aveia, ovos preparados de várias maneiras, presunto, peixes defumados, como o arenque, ou o *kedgeree* — composto de arroz e hadoque defumado, uma tradição herdada dos dias da ocupação britânica na Índia — são todos ingredientes para um bom café da manhã britânico. Há sempre o desjejum "continental", que consiste de suco de laranja, bagels, torradas ou croissants, geleia e chá ou café.

Nos dias atuais, a maioria das pessoas não opta pelo café da manhã inglês completo, preferindo uma refeição com cereais, leite e torradas, mais leve e rápida, para os dias da semana. No entanto, a tradicional geleia de frutas cítricas (*marmalade*) inglesa continua em alta. Feita com laranjas (e às vezes com outras frutas cítricas) e açúcar, pode ser encontrada em diversas versões, como a conserva doce, parecida com uma gelatina, até uma variedade escura e espessa que incorpora pedaços de casca de laranja cozidos. Muitas pessoas fazem a geleia em casa, uma vez por ano, geralmente em janeiro, quando há grande oferta de laranjas de Sevilha, mais amargas.

Almoço e *brunch*

Algumas famílias (essencialmente do norte ou da classe trabalhadora) se referem à refeição do meio-dia como "jantar" (*dinner*), a exemplo do que fazem as escolas por todo o país. Para as classes média e alta, no entanto, a refeição do meio-dia é o almoço (*lunch*).

Existe também o *brunch*, que substitui o café da manhã e o almoço, um hábito tipicamente dos fins de semana, quando as pessoas não precisam levantar cedo ou já saíram para praticar natação ou caminhar. Trata-se de uma refeição informal, relaxante, composta do que você gostar.

O almoço para os trabalhadores durante a semana tende a ser uma sopa, um sanduíche ou uma salada. Geralmente é uma refeição leve, embora alguns restaurantes sirvam refeições de três pratos para quem quiser. Para as crianças, normalmente o almoço é a principal refeição do dia.

Um almoço de domingo inglês tradicional tem apenas dois pratos. O prato "principal" de modo geral é carne (cordeiro, carne de vaca ou de porco) ou frango, normalmente assados ou cozidos, guarnecidos de batatas e de, provavelmente, dois tipos de legumes. A carne assada é regada com molho, feito com o sumo da própria carne, ou de misturas instantâneas encontradas em supermercados.

O segundo prato pode ser chamado de "pudim" (*pudding*), "doce" (*sweet*) ou "sobremesa" (*dessert*), e em geral é algum tipo de iguaria na forma de torta, coberta ou não, recheada de frutas. Pode ser também uma sobremesa inglesa tradicional, como pão de ló ou pudim de pão. Sobre eles pode ser derramado creme de leite ou *custard*, uma calda doce tradicionalmente feita de ovos, açúcar, leite e baunilha, mas que nos dias de hoje pode ser preparada a partir de um pó ou comprada pronta, enlatada. No mundo moderno, onde a saúde é levada a sério, queijos e frutas são alternativas aos doces.

Chá

Os vitorianos instituíram o hábito de tomar chá entre o meio e o fim da tarde, acompanhado de pão, manteiga, sanduíches, bolos e tortas.

O *high tea* era um lanche simples preparado para crianças por volta das 17 horas, como última refeição do dia. Algumas famílias continuam a tradição de servir uma refeição substancial desse tipo ocasionalmente. Muitas pessoas se sentam à mesa para tomar chá com bolo nas tardes dos finais de semana, ou simplesmente tomam uma xícara de chá às 16 horas. Um chá típico do West Country (como é conhecida a região sudoeste da Inglaterra) inclui bolinhos servidos com geleia e *clotted cream* (uma espécie de creme de leite coagulado), a especialidade da região. Com ingredientes caseiros, essa é uma ótima refeição, servida por toda Devon e Cornualha, e de modo geral, hoje em dia, em todo o país.

"Chá" também pode significar uma refeição no começo da noite para as famílias da classe trabalhadora, que de fato é um jantar — a refeição básica da noite — para todas as outras pessoas. Se você for convidado para um chá, o mistério é geralmente a que horas ocorrerá a reunião. Se ficar em dúvida, pergunte.

Supper ou *dinner*?

Supper é uma refeição familiar simples servida a qualquer hora da noite em que seja conveniente. Durante a semana, pode consistir de um prato cozido ou assado — como costeletas de cordeiro, *cottage pie* (geralmente carne de cordeiro moída coberta de purê de batata e assada no forno) ou, nos dias de hoje, uma massa — seguido de queijos e frutas. Se houver mais tempo para a preparação, o *supper* pode ser uma refeição mais elaborada, mas esse nome implica informalidade.

A palavra *dinner* normalmente descreve uma refeição noturna mais formal, servida tipicamente às 20 horas ou às 20h30, envolvendo receber convidados ou comer fora num restaurante. Ela consiste em três ou mais pratos, e deve ser feito um esforço especial tanto na preparação da comida como na disposição dos pratos e talheres na mesa. É normalmente precedida de alguma bebida alcoólica — licores ou vinhos —, e durante a refeição serve-se vinho, talvez de tipos diferentes, de acordo com cada prato.

CONVITES

Convites para uma refeição na casa de um amigo, até para um *dinner*, em geral significam uma ocasião informal e descontraída. Cada vez mais frequentemente, os homens (em particular os mais jovens) não usam terno ou gravata nesses eventos, mas provavelmente escolhem roupas elegantes, ainda que casuais. As mulheres costumam vestir roupas elegantes mas confortáveis, em vez de vestidos de noite excessivamente glamourosos (que podem ser usados em eventos *black tie*).

É normal levar um presente, como flores, uma caixa de chocolate ou um vinho. Eles não precisam ser muito caros, mas devem ser atraentes e de boa qualidade. Não compre flores num posto de gasolina! Talvez o vinho não seja aberto, se tiverem sido escolhidos rótulos específicos para acompanhar os pratos, mas o presente será apreciado.

A boa educação recomenda enviar uma nota breve de agradecimento após uma ocasião desse tipo. Algumas pessoas preferem telefonar no dia seguinte. Faça uma coisa ou outra.

BOAS MANEIRAS À MESA

Há um ditado francês que sugere: "Enquanto o inglês tem boas maneiras à mesa, o francês sabe comer". Não deixa de ser um fato que, enquanto os ingleses tentam empurrar as ervilhas para o garfo, os franceses viram o garfo de ponta-cabeça e o utilizam como colher, acelerando dessa forma o processo de comer e desfrutar a refeição, embora não pontuem muito alto no que se refere à etiqueta.

Os britânicos continuam usando a faca e o garfo da maneira tradicional. Ambos são segurados enquanto se come — o garfo com as pontas viradas para baixo, na mão esquerda, e a faca na mão direita. Em círculos mais finos, eles são pousados sobre o prato entre uma garfada e outra ou durante uma pausa para conversação. Os mais jovens têm adotado o hábito americano de cortar todos os alimentos primeiro para, em seguida, comê-los apenas usando o garfo, embora os tradicionalistas considerem esse método "incorreto". Se não houver nada no prato que exija ser cortado, é aceitável usar somente o garfo e segurá-lo com a mão direita.

De maneira distinta do hábito francês, as crianças inglesas eram tradicionalmente educadas para manter as mãos sobre o colo. Mais tarde, já lhes era permitido colocar os punhos sobre a mesa, mas apoiar os cotovelos na mesa e, pior, repousar o queixo nas mãos definitivamente eram atitudes intoleráveis.

A ideia é que não se deve inclinar-se preguiçosamente sobre a mesa, e esse tipo de comportamento poderia provocar o seguinte comentário: "Você está doente? Gostaria de se deitar um pouco?" Nos dias de hoje, essas maneiras não são observadas com tanto rigor, exceto em ocasiões formais.

COMENDO FORA

Em função da atitude muito mais liberal no modo de vestir quando se vai comer fora, é importante verificar se o estabelecimento aonde você vai exige que os homens usem gravata. Ela continua sendo uma exigência em certos clubes londrinos tradicionais, como o Garrick, o Reform e o Athenaeum.

De modo geral, quando você recebe um convite para um almoço ou um jantar formal, o código de vestimenta estará anotado no cartão, por exemplo: *lounge suit* (equivalente a "traje passeio") ou *black tie* (*smoking*). Esses códigos determinam automaticamente a vestimenta das mulheres.

Comida no prato — a norma implícita
Os ingleses ficam admirados com a quantidade de comida servida nos Estados Unidos; os norte-americanos, por sua vez, quando visitam o Reino Unido, ficam atônitos com a pequena quantidade de comida que é posta em seus pratos. No Reino Unido, a regra costumava ser comer tudo que estivesse no prato, quer você ou qualquer outra pessoa tivesse colocado aquela quantidade, pois deixar alguma sobra era considerado desperdício. Hoje, essa percepção é muito mais flexível — se houver muita comida no prato, deixe-a —, mas somente em restaurantes, não na casa de amigos. Se você não estiver com muita fome, peça uma porção pequena.

Os ingleses e o serviço
Os turistas devem entender que os ingleses contemporâneos em geral não gostam de servir as outras pessoas, pois isso é visto como um pouco degradante, o que talvez seja um legado da rígida estrutura de classes dos velhos tempos. A situação se complica pelo fato de que o setor de serviços (que emprega garçons, empregadas domésticas, babás etc.) é também o que oferece os menores salários de todo o Reino Unido.

Em outras sociedades, não há essa bagagem do passado, e o serviço é visto como algo positivo. Assim, a maioria dos atendentes e garçons que servem em hotéis, restaurantes e pubs nos grandes centros metropolitanos é composta de trabalhadores estrangeiros. Jovens australianos e de outros países que aproveitam a oportunidade de trabalhar no Reino Unido estão por toda parte, geralmente oferecendo seus préstimos com um sorriso no rosto. Há também um número cada vez maior de imigrantes dos países do ex-Bloco do Leste ansiosos para praticar o inglês e ganhar algum dinheiro.

Paradoxalmente, tem ocorrido também certa reabilitação dessa indústria, caracterizada pelo ressurgimento do interesse em funções como doméstica, babá ou mordomo, à medida que mais e mais casais, com ambos os parceiros trabalhando fora, constatam que não conseguem viver sem esse auxílio.

GORJETAS

Tradicionalmente, uma gorjeta de 10%, ou um pouco mais, é o que se deixa para os garçons ou garçonetes, independentemente da qualidade da comida ou do serviço. Um procedimento simples é sempre adotar esse valor, particularmente numa situação formal. Mas, cada vez mais, verifica-se um movimento contra essa generosidade automática, em especial entre os mais jovens. Em última análise, você toma sua própria decisão, embora as boas maneiras ditem que, seja lá o que você faça, não deve constranger ninguém, sobretudo se tiver convidados. Eventualmente se acrescenta uma taxa de serviço à conta, o que resolve o problema se você estiver preparado para pagá-la, como a maior parte das pessoas.

O PUB

Apesar de as leis punirem quem estiver dirigindo embriagado, para muitos britânicos o pub continua sendo o centro da vida social — isso é largamente observado nas novelas *Coronation Street* e *Eastenders*. Normalmente, as pessoas dão uma passada num pub para "tomar algo rápido", o que significa *a pint of beer* ("um *pint* [568 ml] de cerveja") ou um *swift half*, que tem o mesmo significado. Os bebedores de cerveja mais "profissionais" passam a noite lá, encostados no balcão.

Os pubs geralmente têm nomes antigos e interessantes, que de certa forma refletem suas histórias, como Queen's Arms (Armas da Rainha), Woolpack (Rolo de Lã), Red Lion (Leão Vermelho), White Horse (Cavalo Branco), Eight Bells (Oito Sinos), Victoria (Vitória), Green Man (Homem Verde), Ship Inn (Hospedaria do Navio) e Bunch of Grapes (Cacho de Uvas). As variações são intermináveis, e você pode ver o nome do pub pintado em uma placa pendente num poste de rua, próximo da porta principal. O Tabard, em Southwark, Londres, por exemplo, foi mencionado por Chaucer nos *Contos de Canterbury* seiscentos anos atrás, e o Ye Olde Cheshire Cheese, na Fleet Street, também em Londres, foi frequentado por alguns dos gigantes da literatura inglesa, como Samuel Johnson, Oliver Goldsmith e Charles Dickens.

Como parte da ascensão da cultura jovem no Reino Unido na década de 1990, alguns pubs foram renomeados para atrair jovens solteiros, abonados e inteligentes. Alguns dos nomes ultrapassados, como Pig and Whistle (Porco e Apito) ou Royal Oak (Carvalho Real), desapareceram, e os pubs foram repaginados com um aspecto "descolado"; uma dessas novas redes é chamada Slug and Lettuce (Lesma e Alface), um eco irônico dos antigos nomes.

A imagem mais tradicional de um pub, no entanto, é a daqueles que ficam nas zonas rurais, ainda o centro da vida nas aldeias. Alguns deles estão estabelecidos nesses locais há centenas de anos; em alguns há telhados de colmo, com roseiras ou glicínias crescendo em volta da porta de entrada. Há lareiras com toras de madeira em brasas no inverno, e uma atrativa área ajardinada onde as pessoas podem se acomodar durante os meses de verão. Podem ser lugares deliciosos, acolhedores, com clientes assíduos que de modo geral ficam felizes apenas por bater papo com os visitantes.

A cerveja tradicional inglesa teve um retorno triunfal nos últimos anos, suficiente para estimular a criação de muitas novas pequenas cervejarias, que se instalaram para servir clientes de suas regiões. Fermentada com base na mistura entre malte e lúpulo, ela não é refrigerada como as outras cervejas, razão pela qual aqueles que a conhecem quando ela não está na melhor das suas condições (fresca, não gelada) a criticam por ser uma cerveja "quente", em comparação com as temperaturas extremamente frias das cervejas pressurizadas ou de barril — sobretudo a *lager*, a cerveja continental mais leve, muito apreciada entre os fãs de futebol, resultando na expressão *lager louts* para se referir aos que passam da conta e ficam embriagados.

Uma das cervejas mais famosas, com tonalidade escura e sabor amargo, é a Newcastle Brown, consumida essencialmente no nordeste da Inglaterra, onde é fabricada, a favorita dos apaixonados pelo futebol e de muitos outros.

Se você vai a um pub e pede "um *pint* da melhor cerveja", será servido com o que o dono considera a mais amarga. Nos dias atuais, no entanto, há geralmente uma escolha entre diversas cervejas inglesas, talvez incluindo uma cerveja local, além das *lagers*, mais leves. Há também as cervejas "moderadas", consumidas essencialmente na parte central do país, que são justamente o que o nome sugere — uma cerveja fermentada do lúpulo, não muito amarga e com um paladar mais suave.

Bar e salão
Muitos pubs continuam divididos em seções, como o bar (*public bar*) — um lugar barulhento, mais frequentado pela "classe trabalhadora", e onde a cerveja costumava ser um pouco mais barata — e o salão (*saloon*), mais tranquilo. Às vezes há um recinto menor denominado *snug*, que pode ter uma lareira. Por outro lado, muitos pubs hoje derrubaram todas as paredes divisórias para se tornar um grande salão em que se servem bebidas para toda a clientela.

Os pubs de algumas localidades rurais preservaram alguns dos jogos tradicionais da "Olde England", como o *bat-and-trap* (um jogo complicado que envolve uma bola, uma raquete e uma "armadilha"), encontrado em Kent, que tem sido praticado há séculos, ou o *shove ha'penny* (que envolve um tabuleiro de madeira com fios e uma moeda). Os jogos de bar continuam muito populares, especialmente dardos e testes de perguntas e respostas, com frequência organizados numa base competitiva.

A culinária é outro ingrediente essencial da cena dos pubs; no passado, a comida nesses estabelecimentos era limitada a pratos simples e baratos, como tortas, linguiças, batatinhas, queijos e picles. (O "Ploughman's Lunch" hoje em dia é uma versão muito mais elaborada desses pratos, acompanhado de pão assado na hora e salada.) Atualmente, sabe-se que as pessoas querem uma culinária de qualidade, e, na maioria dos pubs, predomina uma oferta de muito mais opções a preços razoáveis. Alguns estabelecimentos começaram a oferecer uma cozinha com qualidade compatível à dos restaurantes, e, com essa nova tendência, tem-se criado um novo estilo de "cultura de pub".

Licenças

A idade mínima para tomar bebidas alcoólicas no Reino Unido é de 18 anos e, para entrar nos pubs (para consumir bebidas sem álcool), de 14, mas apenas se o adolescente estiver acompanhado de um adulto. Nos pubs que também servem almoço, é possível ver famílias com crianças num salão especial reservado para isso.

O governo, no entanto, continua revendo as leis de licenciamento. Os horários de funcionamento costumavam ser cumpridos rigorosamente: das 11 às 14h30 e das 17h30 às 23 horas (e num horário mais reduzido aos domingos). Agora, os donos de pubs podem deixar seus estabelecimentos abertos o dia inteiro se desejarem; mas, fora das grandes metrópoles, tende a prevalecer o sistema tradicional.

Tipicamente, os funcionários do pub tocam uma sineta pelo menos dez minutos antes de fechar, de modo que sejam feitos os últimos pedidos. Extensões às leis de licenciamento podem ser concedidas pelo juiz local se o dono do estabelecimento comprovar que há um evento especial justificável, como uma partida da Copa do Mundo ou uma cerimônia de casamento real, que podem ser vistos nos telões do pub.

WINE BARS
Uma adição recente à cena dos amantes de bebidas é o *wine bar* (bar especializado em vinhos), estabelecimentos geralmente encontrados no centro de grandes cidades. Muitos deles são locais atraentes, alguns lembrando antigos pubs, outros ultramodernos. A maioria da clientela é formada por profissionais que desejam um lanche rápido ou um jantar mais prazeroso, tendo um ambiente agradável para encontros com amigos e uma refeição casual. Eles oferecem uma série de rótulos interessantes e geralmente uma comida muito boa. Não é obrigatório tomar vinho! É possível optar por refrigerantes ou café.

Capítulo **Seis**

ENTRETENIMENTO

Hoje, para os britânicos, o foco em lazer e prazer é uma das maiores preocupações, maravilhosamente resumida no mote "TGIF" — *Thank God It's Friday!* ("Graças a Deus, é sexta-feira!"). De fato, até numa segunda-feira, após o término do fim de semana, o rádio e a TV, associados à mídia impressa, começam a anunciar as atrações que estarão em cartaz no próximo fim de semana, criando a percepção, que perdura o ano todo, de que a vida tem tudo a ver com "festa" — só lamentamos que haja o trabalho no meio para atrapalhar!

A cena cultural certamente é vibrante, e tem havido um renascimento do interesse público em galerias de arte e museus de todos os tipos, com novas instituições, como o Tate Modern, em Londres, que brotam nas grandes metrópoles por todo o país — graças, em parte, aos recursos obtidos por meio da Loteria Nacional.

O amor britânico pela língua continua encontrando expressão em casas teatrais de pequeno e grande portes (embora o West End londrino tenha sofrido desde os ataques terroristas a Nova York, em 11 de setembro de 2001), incluindo grupos amadores de arte dramática locais, bem como shows de variedades no verão (com comediantes, cantores e mágicos), nos principais *resorts* da costa do país. Também florescem espetáculos de pantomina (veja página 81), um entretenimento único para o público infantil nas férias de Natal e Ano-Novo.

POMPA E FAUSTO

Os cerimoniais de grandes eventos públicos continuam influenciando a imaginação dos britânicos e são atrações tanto para eles como para os turistas. A Abertura Oficial do Parlamento, por exemplo, é uma forma grandiosa de teatro público. A rainha percorre as ruas numa magnífica carruagem oficial puxada por cavalos, vestida em trajes reais, e faz seu discurso sentada no trono da Casa dos Lordes. Em torno dela fica disposta uma fileira de lordes, *ladies*, juízes e dirigentes da Câmara, com seus esplêndidos robes, togas e uniformes vermelhos de arminho, os militares com o uniforme de seus regimentos, exibindo medalhas no peito, e membros da "outra câmara" (a Casa dos Comuns) trajando ternos formais.

O que causa maior impressão é a espetacular Trooping the Colour, quando a rainha, como comandante suprema das Forças Armadas, aceita seu novo regimento de guardas palaciais, de uniforme completo, para marcar sua "data de nascimento oficial", no segundo sábado de junho. Outros pontos turísticos incluem a procissão do judiciário até o tribunal em Old Bailey, em Londres, no início de um novo mandato judiciário, além de outras ocasiões oficiais, quando a rainha é conduzida em uma das luxuosas carruagens ao longo da avenida The Mall, com guardas montados a cavalo na comitiva.

AONDE IR E O QUE FAZER

Londres é um centro mundial das artes. Suas galerias e seus museus, classificados entre os melhores do mundo, incluem a National Gallery, a Royal Academy, a Tate Gallery, a Tate Modern, o British Museum, o Victoria and Albert Museum e o Science Museum, além de muitos outros fascinantes em Londres e em suas cercanias. Um exemplo característico é o Madame Tussaud, que exibe uma coleção de estátuas de cera de pessoas famosas.

Os teatros londrinos são legendários. Há mais de quarenta casas, da Royal Opera House ao London Palladium. Os visitantes devem planejar com bastante antecedência as opções disponíveis e reservar os ingressos sempre que possível.

Além de Londres, há riquezas históricas, patrimoniais e artísticas para se descobrir nos principais centros metropolitanos e nas regiões da Inglaterra, incluindo uma das novas "maravilhas do mundo natural", o Projeto Éden, na Cornualha. É possível obter mais informações nos escritórios regionais de turismo.

Algumas ocasiões formais e o que vestir
Ascot, conhecida pelas corridas de cavalos, provavelmente se tornou ainda mais famosa por ser uma notável ocasião em que se reúne a nata da sociedade, na qual as mulheres exibem suas roupas e especialmente seus chapéus. O festival atrai o interesse de toda a mídia. Em contrapartida, os ingleses tradicionais que assistem ao esporte nacional de verão, o críquete, nos campos especiais de Lord, em Londres, onde o jogo nasceu, costumam trajar a gravata exclusiva do clube — o Marylebone Cricket Club (MCC) —, chapéu-panamá e até um blazer azul, não importa o calor do dia. Igualmente, se você está assistindo à Regata Real, em Henley, em particular se for sócio do exclusivíssimo Leander Rowing Club, o protocolo de vestimenta exige que você esteja de camisa e gravata apropriadas.

"Cool Britannia"
Nos últimos tempos, os designers de moda britânicos ganharam uma proeminência cada vez maior no mundo da alta-costura. Isso levou ao ressurgimento do movimento "cool Britannia" pela sociedade, que, por sua vez, tem forçado mudanças em muitas das principais redes e fornecedores do setor do vestuário que estavam perdendo contato com seu público-alvo. Por exemplo, no final da década de 1990, a Marks & Spencer teve de se reinventar empregando alguns dos principais nomes da moda para "repensar" suas linhas de produtos (inclusive a famosa marca de lingerie St. Michael).

A moda, certamente, é uma parte muito importante do estilo de vida e contribui para criar expectativas contemporâneas de comportamento e etiqueta, por exemplo, quando se vai comer em restaurantes. Além das exceções notáveis em Londres, como o Ritz Hotel, e os tradicionais clubes de cavalheiros do Pall Mall, da St. James e do Picadilly, a norma atual, quando se vai a restaurantes, é usar um traje *smart casual* (casual elegante), sem terno e gravata, exceto nos almoços ou jantares de negócios.

Inevitavelmente, essa nova cena, "sem regras", de um protocolo de vestimenta supostamente flexível, leva a um leque muito grande de variações de interpretação. *Smart casual* pode significar camiseta de marca, jeans e tênis para um homem; e, para outro, camisa polo com calça social preta e sapatos de couro.

"CASUAL" É BEM-VINDO

O termo "casual", que projeta a ideia de descontração, é a nova moda na sociedade moderna. Por definição, uma atitude como essa desafia o comportamento formal das gerações passadas, caracterizadas pela noção já referida do *stiff upper lip* — não ceder às emoções em face das dificuldades. A família real também tem adotado um enfoque "casual" nos últimos anos — particularmente demonstrado pelo muito bem-sucedido Pop Concert realizado nos jardins do Palácio de Buckingham no verão de 2002, para marcar o Jubileu de Ouro da rainha. Quem poderia imaginar que o programa seria aberto com Brian May, guitarrista da banda pop Queen, de pé no topo da cobertura do palácio, tocando sua própria versão do hino nacional "God Save the Queen"?

COMPRAS

Fazer compras é, naturalmente, tanto uma tarefa como um prazer, dependendo do que você está comprando. Em cidades e vilarejos, supermercados de todos os portes geralmente suprem as necessidades alimentares básicas da semana, e existem estabelecimentos especializados, de menor tamanho, de todos os tipos. (Observe que uma *chemist* [farmácia] — termo desconhecido para muitos turistas — vende medicamentos e remédios, bem como todos os tipos de perfumes e produtos de toalete.) Em muitas vilas ainda há armazéns que comercializam uma enorme variedade de produtos e com frequência servem também como unidades dos Correios. Existem mercados regulares de alimentos frescos e outros artigos em muitas cidades pequenas, os quais costumam oferecer bons preços.

Para outras necessidades, nas cidades e nos vilarejos maiores há lojas de departamento, pequenas butiques de roupas e ruas comerciais movimentadas. Muitas das lojas mais famosas de Londres, como as localizadas em Knightsbride, Piccadilly e Bond Street, atraem os clientes mais antenados.

No tocante aos suvenires do Reino Unido, há muitos objetos especiais, desde produtos de lã de excelente qualidade, da Escócia e do País de Gales, a iguarias doces, como o *shortbread* escocês, balas, caramelos e torrões de Edimburgo, além, naturalmente, da *marmalade*.

> *"Por indicação real"*
> Os fornecedores oficiais de bens e serviços da família real recebem um tipo especial de apoio. Eles podem solicitar permissão real para exibir um rótulo dizendo que têm "indicação real", por exemplo: "fornecedores de provisões e produtos domésticos para Sua Majestade a Rainha" ou "fornecedores de equipamentos e seleiros para Sua Alteza Real, o Príncipe de Gales". Encontre-os num pote de geleia e você saberá que o produto é de excelente qualidade!

É interessante também buscar coisas antigas e raras, e, em todas as cidades e nos incontáveis vilarejos das regiões rurais, é possível passar horas pesquisando desde objetos antigos de prata, mobiliário e quadros até livros usados e "quinquilharias". Os britânicos parecem ter um estoque praticamente interminável desses objetos, de exóticos a peculiares, passando por atrativos e acessíveis até únicos e que custam "o olho da cara". Em muitos vilarejos, ainda, organizam-se feiras de antiguidades e mercados de pulgas regulares, onde

geralmente é possível encontrar verdadeiras
barganhas. Esses lugares realmente valem a visita.

ESPORTES

A não ser para os especialistas mais experientes, é difícil definir quantas modalidades esportivas os ingleses inventaram — incluindo o críquete, o tênis e o futebol (com a honrosa exceção do rúgbi). Os britânicos são obcecados por esportes. As homenagens prestadas nos altares dos deuses dos esportes são eventos sem precedentes. O principal entre esses deuses, certamente, é o fenômeno David Beckham, muito embora, no verão de 2003, o jogador tenha deixado o Manchester United para atuar pelo Real Madrid — e hoje esteja aposentado.

Futebol

O futebol, sobretudo, é descrito como a "nova religião" inglesa, impulsionado pelos clubes multimilionários da Primeira Divisão, dominada nos últimos tempos pelo Manchester United, Arsenal, Newcastle United, Chelsea e Liverpool. Uma enorme indústria gira em torno deles, e todos os clubes citados (bem como outros) são listados na Bolsa de Valores de Londres.

Felizmente, agora quase livre dos *hooligans* (pelo menos nas partidas do campeonato doméstico) e da violência das turbas, o interesse tradicional das classes trabalhadoras no futebol tem aberto caminho para um envolvimento completo entre várias culturas, com maior número de mulheres e famílias assistindo aos jogos. O mesmo se aplica ao rúgbi, seja da League ou da Union (a última até recentemente praticada por amadores e que sempre reivindica ser o jogo verdadeiro).

"Ser um bom perdedor" está mais perceptivelmente (mas não exclusivamente) vinculado à cultura da classe média inglesa, que aplaude todos os que participam, mesmo se o jogo terminar em derrota. Isto é, o principal não é necessariamente vencer. Essa ênfase no valor de se associar, ou tomar parte, reforçada nas escolas, principalmente nas particulares, remonta a gerações. Sob alguns aspectos, lembra o espírito comunitário dos tempos de guerra ou das grandes catástrofes. Não é de surpreender, portanto, que o famoso "instinto matador", necessário para vencer nos esportes, raramente seja desenvolvido de forma suficiente nos jogadores britânicos para que eles batam todos os demais times do mundo.

Críquete

Pode-se argumentar que apenas a natureza reflexiva e tranquila dos ingleses inventaria um jogo que pode consumir até um dia inteiro ou, no caso dos jogos internacionais (*test matches*), até cinco dias para ser concluído. Obviamente, estamos diante de um jogo sério, que envolve resistência, comprometimento e dedicação, ainda que seja também uma modalidade que pretende ser divertida. E pode-se ter diversão, pois todos os integrantes do time participam, quer na rebatida da bola ou nos duelos em campo, com a chance de acertá-la e marcar pontos, ou *runs*. Tomar parte, ou *having a go*, é muito importante.

O críquete é ainda um esporte em que se exige jogo limpo do árbitro e dos jogadores. Explicando da forma mais simples, uma bola extremamente dura é arremessada na direção da meta (*wicket*), que consiste de três varetas de madeira, na frente da qual um jogador do outro time empunha um bastão de madeira. Sua função é não deixar que a bola atinja o *wicket* (ou ele mesmo) e marcar pontos (*runs*) ao acertar e lançar a bola à maior distância possível, correndo rapidamente (um *run* corresponde ao ato de percorrer a distância entre os *wickets* na outra extremidade do *pitch* — as 22 jardas tradicionais [pouco mais de vinte metros]). O outro rebatedor do mesmo time, posicionado na outra extremidade do *pitch*, também tem de correr, e ambos devem retornar às posições na frente dos *wickets* antes que a bola seja "interceptada" e lançada de volta para o *wicket* — ou eles estarão eliminados. Como já mencionamos, para tomar todas as decisões corretas ao apitar o jogo, o árbitro deve ser extremamente experiente, habilidoso e justo.

Corrida de cavalos

As corridas de cavalos são negócios milionários. De um lado, de acordo com o Pony Club, há mais de um milhão de pôneis nas mãos de particulares no Reino Unido, a maioria para a diversão e o entretenimento das crianças. Suas arenas competitivas se limitam às gincanas regionais e nacionais, que testam as habilidades na montaria e a passagem por obstáculos dos jovens competidores. Na outra extremidade, estão os eventos mais importantes de corridas de cavalos profissionais, que ocorrem o ano inteiro.

O maior evento do calendário é a corrida anual Grand National, que se realiza em Aintree, Liverpool, em abril. Trata-se de um duro teste de resistência para os jovens cavalos e seus jóqueis, ambos de modo geral totalmente desconhecidos, atraindo apostas de um número significativo de pessoas que, em outras circunstâncias, jamais seriam encontradas numa casa de apostas.

Maratona
Há outros esportes importantes muito apreciados na Inglaterra, como o hóquei e o basquete, mas a maratona, especialmente a temida Maratona de Londres, se tornou um evento nacional anual — e um veículo perfeito para a natureza coletiva idiossincrática inglesa. (Há também a Meia Maratona de Newcastle-upon-Tyne.) Ela é promovida para fins beneficentes — os britânicos adoram apoiar uma boa causa — e possibilita que milhares de pessoas comuns contribuam, conquistem algo (conferir o próprio tempo é importante e dá a esperança de obter melhor desempenho no próximo ano) e se divirtam — alguns participam apenas caminhando com trajes divertidos.

Golfe

De todos os esportes "recreativos", exceto a caminhada — passatempo tradicional e muito bem organizado pela Associação Ramblers, que assegura ao público acesso ao maior número possível de trilhas nas áreas rurais —, o golfe atrai o maior número de participantes. Para muitos entusiastas, essa modalidade passou a ser um estilo de vida. Como esporte, ele se tornou tão expressivo que o Reino Unido abriga hoje 2.500 campos de golfe, que podem acolher turistas — e todos os empresários espanhóis ou portugueses que sonhem em investir num novo *resort* de férias projetado para atrair turistas britânicos devem incluir no mínimo um campo de golfe em seus planos.

A TEMPORADA

No passado, a "temporada" inglesa, como é conhecida, consistia na participação das classes altas nos principais eventos esportivos e culturais.

Esses eventos, assim como os bailes e as festas privadas, eram uma oportunidade para que pais exibissem seus filhos e particularmente suas filhas, para que estes pudessem encontrar cônjuges apropriados, bem como para se mostrar e se manter a par das últimas fofocas. Isso certamente ainda ocorre, mas, do ponto de vista social, sua relevância foi diluída à medida que os "novos ricos" se misturaram aos tradicionais. Hoje, a temporada deve sua sobrevivência aos membros do "Reino Unido corporativo", que usam os principais eventos como oportunidade para promoções.

Principais eventos
Os principais eventos esportivos do ano são a Boat Race (corrida de barco), entre Oxford e Cambridge, no rio Tâmisa (março); os Horse Trials, em Badminton (maio); o Derby Day, em Epsom (junho); a corrida na Royal Ascot (julho); o torneio de tênis, em Wimbledon (junho--julho); a disputa de barcos a remo, em Henley (julho), e de veleiros em Cowes, na ilha de Wight (agosto).

Os eventos culturais incluem a Exposição de Flores de Chelsea (maio); a Exposição de Verão da Academia Real; e a ópera em Glyndbourne, East Sussex (maio a setembro). A noite final dos Concertos Promenade, realizados anualmente no Albert Hall, em Londres, conhecidos também por "Proms", é parte do entretenimento, proporcionando um espetáculo de grande patriotismo ao tremular a Union Jack (bandeira) e entoar o hino "Terra de esperança e glória" com enorme entusiasmo no fim das apresentações.

Naturalmente, se você for a qualquer um desses eventos, ganhará pontos se usar roupas estilosas.

Nunca vá sozinho, mas sempre com um grupo de amigos ou com a família, e espere ver e ser visto por um grande número de amigos e conhecidos.

> **FERIADOS NACIONAIS**
> - Ano-Novo (1º de janeiro)
> - Sexta-Feira Santa (dois dias antes da Páscoa)
> - Segunda-Feira de Páscoa (o dia após a Páscoa)
> - Início da primavera (primeira segunda-feira de maio)
> - Feriado da primavera (última segunda-feira de maio)
> - Final do verão (última segunda-feira de agosto)
> - Natal (25 de dezembro)
> - Boxing Day (26 de dezembro)

BRICOLAGEM E JARDINAGEM

No fim de semana, os apaixonados por bricolagem e jardinagem transformam suas casas. Essa é uma extensão da síndrome de "a casa de um inglês é o seu castelo", além de uma manifestação maravilhosa do senso individual de identidade e singularidade, bem como uma fonte de bem-estar.

Uma vez que o índice de proprietários de casas no Reino Unido é o maior da Europa (na Inglaterra é de aproximadamente 70%), não é difícil entender por que essas indústrias, lideradas por redes de hipermercados de ferragens e materiais de construção e impulsionadas por programas televisivos, tiveram uma expansão tão grande.

O passatempo fundamental inglês é a jardinagem, muito apreciada tanto por homens como por mulheres, jovens e idosos, em todas as estações do ano. Um jardim representa a nostalgia inglesa do modo de vida rural e da "nação verde e agradável" de Blake.* O montante anual de dinheiro gasto em produtos relacionados a esse passatempo pelo país é consideravelmente maior que o gasto em bricolagem. Livros, revistas e programas de rádio e TV sobre jardinagem são uma parte importante da cultura britânica.

O Reino Unido está cheio de residências oficiais maravilhosas, parques e jardins, tanto públicos como privados, abertos a visitantes.

VIAGENS E TRANSPORTE

Se você está dirigindo, lembre-se de que no Reino Unido a mão de direção é pela esquerda! As estradas são de modo geral boas, com uma rede de *motorways* (rodovias) designadas por um M — por exemplo, M1, M2 etc. — e estradas menores, A e B, que normalmente são rotas com paisagens mais bonitas para aqueles que desejam apreciar o panorama das regiões rurais. Algumas estradas vicinais não passam de pistas estreitas e sinuosas. Os limites de velocidade nacionais são 110 km/h

---

* William Blake (1757-1827), poeta inglês, um dos grandes expoentes do Romantismo britânico. (N. do T.)

em rodovias, 100 km/h em estradas abertas e 50 km/h em áreas urbanas. Tome cuidado para não ultrapassá-los!

O Reino Unido tem um sistema de transporte público razoável. Todas as pessoas reclamam dele, mas a maioria das modalidades de transporte geralmente opera de acordo com o programado. Os trens são, sem dúvida, os mais rápidos, mas a forma mais barata de viajar longas distâncias é utilizando os ônibus de excursão. Os serviços nacionais dessas linhas são operados pela National Express, e há ainda muitos outros serviços de ônibus pelo país.

Se você for viajar pelo Reino Unido, é uma boa ideia procurar os escritórios de informações turísticas locais. Eles podem ajudá-lo, recomendando locais de hospedagem, dando conselhos de viagem e sugerindo pontos turísticos para visitação.

Capítulo **Sete**

AMIZADE, FAMÍLIA E VIDA SOCIAL

INFORMALIDADE E AMIZADE
Uma percepção há muito mantida por inúmeros estrangeiros é que leva tempo para fazer amizade com os ingleses, mas depois esse relacionamento se torna algo significativo e permanente. Isso pode ser verdadeiro. Hoje, a tendência de uma informalidade animada, com o uso comum do primeiro nome em muitos círculos da vida cotidiana, especialmente no ambiente de trabalho, talvez sugira uma impressão diferente. Ela se baseia na premissa de que essa informalidade faz com que as pessoas se sintam mais relaxadas e à vontade — mas isso não implica necessariamente amizade e desejo de passar mais tempo juntas fora do trabalho. O melhor conselho é não forçar ou supor nada em demasia.

Esse mesmo princípio é válido para os vizinhos ("Quanto maior a cerca, melhor o vizinho"). Em outras ocasiões, quando as pessoas se reúnem por motivos diversos, como ao apoiar organizações voluntárias locais, a "reserva" inglesa tende a ser muito evidente. As pessoas ficam felizes de ceder seu tempo, mas não sua privacidade. Às vezes, elas podem parecer muito frias ou mal-educadas, mas é provável que isso signifique apenas um sinal de cortesia.

Entendendo a "polidez"

A forma inglesa de polidez eventualmente talvez não seja bem compreendida. Ser cortês num contexto formal, como no escritório, pode significar ser participativo e aparentar estar se divertindo num grande evento social organizado pela empresa ou num jantar privado marcado por um dos diretores. Isso é o que se considera ter "boas maneiras", mas, para muitos ingleses, as coisas não vão além disso. Igualmente, se dois estranhos começam uma conversa amistosa no trem, por exemplo, isso em geral denota que é só uma questão de educação e que o relacionamento dificilmente vai se desenvolver no futuro.

É claro que essas ocasiões podem ser o começo de uma amizade verdadeira, mas não fique chateado e não se surpreenda se o relacionamento acabar por aí.

Cumprimentos, beijos e toques

A forma comum de cumprimentar as pessoas é *How do you do?* ("Como vai?"), ou, menos formalmente, *Hello* ("Olá"), acompanhado de um aperto de mão firme, mas com um toque mais leve entre homens e mulheres. O aperto de mão frouxo de um homem é considerado falso, afeminado, não confiável ou desleixado, ou tudo isso junto.

Em ocasiões sociais, digamos, em um jantar envolvendo colegas de trabalho e as(os) parceiras(os), os apertos de mão entre homens e mulheres são substituídos por "beijos sociais", em que o homem toca de leve os lábios na face da mulher, enquanto ela "beija o vazio". Cada vez mais, a regra é que se beijem levemente ambas as faces. Amigos íntimos trocam abraços e beijos mais calorosos.

Embora os ingleses sejam razoavelmente contidos e compostos, detestem o exibicionismo no contato com outros e abominem os "invasores de espaço" — aqueles que se aproximam demais durante uma conversa —, a troca de abraços hoje em dia é mais comum, pelo menos entre a geração mais jovem.

Nas famílias contemporâneas, os homens desempenham um papel cada vez mais crescente na função tradicionalmente destinada às mães. A velha situação em que o contato entre pai e filho era restrito a apertos de mão — padrão de comportamento formal ainda esperado em certos contextos — está gradualmente cedendo lugar a um contato físico mais afetuoso.

MODOS FORMAIS E INFORMAIS

Muitos britânicos admiram o uso disseminado do termo "sir" como uma marca de respeito na América, tanto dentro como fora da sala de aula, por exemplo, ou mesmo no ambiente doméstico. Contudo, o uso do termo está desaparecendo aos poucos na vida rotineira no Reino Unido. Ele

continua sendo utilizado nas escolas —
especialmente nas públicas, onde é percebido como
cortesia essencial em um ambiente mais disciplinado
e respeitoso — e, naturalmente, nas Forças Armadas.

Hoje em dia, os jovens britânicos mostram
menos deferência aos mais velhos, geralmente são
muito mais descontraídos nos relacionamentos e
adotam uma postura muito mais relaxada e
igualitária em relação à sociedade como um todo e
ao lugar que ocupam dentro dela.

Termos carinhosos
O visitante do Reino Unido às vezes fica surpreso
quando as pessoas se dirigem a ele em termos
relativamente íntimos. No sul da Inglaterra, nos
ônibus ou nas lojas, você pode muito bem ser
recebido com expressões carinhosas, como *love*,
lovey, *dear*, *darling*, *pet* ou *petal* — e talvez, se
estiver com sorte, *my lover* em Devon. À medida
que for para o norte, você poderá ouvir expressões
diferentes, como *chuck* (perto de Liverpool e do
nordeste), *duck* (perto de Sheffield e do noroeste) e
hen (na Escócia). Quando a atendente do mercado
pesar algumas maçãs para você, ela poderá lhe
dizer: "Passou um pouco de um quilo. Tudo bem,
darling (querido)?" Não fique alarmado; são
apenas maneiras gentis de abordar as pessoas e
jamais pretendem ser íntimas demais ou ofensivas.

"Obrigado" e "Desculpe!"
Os britânicos gostam muito de usar uma
linguagem cordial. Você com certeza vai ouvir

please ("por favor"), *thank you* ("obrigado") e *sorry!* ("desculpe!") em todos os lugares. Qualquer serviço, inclusive os mais simples, exige um *thank you* ("obrigado") — seja o que for que você tenha comprado ou pago, desde um passe de ônibus, um carrinho cheio de compras, um tanque repleto de gasolina ou mesmo ao receber um adesivo de uma organização beneficente, por ter depositado uma porção de moedas num estande de doação. E assim acaba a conversa. A outra pessoa não responde, como nos EUA, *You're welcome* ("Não tem de quê"), embora possa dizer *Thank you* de volta, como modo de terminar o diálogo.

Os britânicos dizem *Thank you* quando alguém lhes faz um elogio de qualquer tipo, ou dizem *Thank you, how kind of you!* ("Obrigado, é muita gentileza sua!") quando alguém os ajuda com algo. As pessoas no rádio e na TV dizem *Thank you* para o entrevistador, presumivelmente pela oportunidade que estão tendo de emitir sua opinião. Esse povo é, de fato, extremamente agradecido!

"Desculpe" pode ser a "palavra mais difícil" para Elton John,* mas, de fato, é uma das mais comuns entre os britânicos. Trata-se de um exemplo do excesso de cortesia britânica, ou simplesmente boas maneiras? Os britânicos dizem *Sorry!* quase que involuntariamente, como desculpa para qualquer possível inconveniência ou interrupção

---

* Referência a uma canção de Elton John que tem como título "Sorry Seems to Be the Hardest Word", ou, em tradução livre, "Desculpe parece ser a palavra mais difícil". (N. do T.)

pela qual se sentiram responsáveis. Eles dizem *Sorry!*, ou mesmo *So sorry!* ("Mil desculpas!"), se esbarram em um desconhecido na rua ou se tocam em alguém acidentalmente, invadindo o espaço privado da outra pessoa. Podem até mesmo dizer *Sorry!* se alguém pisar no pé deles (afinal, foram os pés deles que se intrometeram no caminho da outra pessoa)! Dizem *Sorry?* para mostrar que não ouviram o que a outra pessoa falou e solicitar que ela repita. (*Excuse me* não é normalmente usado em nenhum desses contextos, como ocorre nos EUA — no Reino Unido, é usado para atrair a atenção de outra pessoa ou para pedir que alguém abra passagem.)

Eles dirão *I'm very sorry* ou *I'm so sorry* ("Sinto muito") como uma introdução solidária quando estão dando uma notícia ruim a alguém, ou quando sentem que estão sendo inconvenientes ou causando algum tipo de desconforto — por exemplo, na situação em que o médico precisa fazer um exame delicado em um paciente. Até o guarda de trânsito, ao grudar uma multa no seu carro, possivelmente vai lhe dizer: *Sorry, I'm only doing my job* ("Desculpe, estou apenas fazendo meu trabalho").

A NOVA FAMILIARIDADE
Às sextas-feiras, quando deixamos o trabalho, uma cortesia comum é dizer aos colegas: *Have a good weekend* ("Bom fim de semana"). Outra expressão bastante usada, não apenas entre amigos ou colegas, mas por atendentes de caixa e garçons, é:

Have a nice day ("Tenha um bom dia"), aprendida com os americanos, ou, na versão inglesa, *Have a good day*. Essas formas de abordagem foram adotadas como parte da amizade informal na cultura jovem moderna, assim como outra tendência — o uso frequente do primeiro nome dos clientes no trato comercial do dia a dia. Essa familiaridade é um fenômeno novo para os ingleses, tradicionalmente reservados, e de modo geral irrita um pouco as gerações mais velhas, que consideram tais modos presunçosos.

Para os turistas, é melhor agir com margem de segurança e não abordar pessoas mais velhas pelo primeiro nome, a menos que estimulados a fazê-lo.

A FAMÍLIA

Crianças

O antigo provérbio que diz: "As crianças devem ser vistas, mas não ouvidas" está mais vivo do que nunca no Reino Unido e se aplica, em linhas gerais, a locais públicos, como restaurantes que não são particularmente destinados a acolher o público infantil. A ideia é que as crianças se comportem razoavelmente bem para não incomodar os outros clientes fazendo muito barulho ou correndo em volta das mesas. As pessoas em geral são tolerantes e amáveis com as crianças, mas espera-se que os pais supervisionem o comportamento delas.

Atualmente, as crianças britânicas são estimuladas a se expressar desde cedo e são muito mais articuladas que as crianças de gerações passadas. Elas podem ficar várias horas do dia no computador, jogando ou fazendo pesquisas escolares. Os jovens de hoje também são, de modo geral, mais informados e engajados do que seus pais eram na mesma idade, sendo incentivados a pensar sobre questões do momento.

Muitas crianças britânicas vivem num mundo de roupas de grife, celulares e outras modernidades. Elas participam de festas e estão constantemente ligadas a uma mídia que atende a suas necessidades pontuais (e, sempre que possível, geram novas "necessidades"). A exemplo de seus semelhantes nos países industrializados, elas têm acesso a uma renda (mesada) superior à que tinham no passado.

Aos 16 anos, os jovens já podem entrar sozinhos em pubs (mas só lhes é permitido consumir bebidas sem álcool), podem legalmente ter relações sexuais e se casar com permissão. Aos 19, podem votar, comprar bebidas alcoólicas e cigarros, bem como entrar para as Forças Armadas.

Refeições em família

As pessoas com frequência se queixam de que as famílias contemporâneas raramente se sentam para desfrutar juntas as refeições, como era comum no passado. Esse parece ser um problema que atinge muitas famílias, agora limitadas a se encontrar somente no almoço ou no jantar de domingo. Com ambos os pais trabalhando e as crianças participando de atividades depois da escola, como aulas de música, teatro ou esportes, as refeições nos dias de semana tendem a ser rápidas e sem horário fixo, para se adequar aos vários compromissos de cada um. O jantar geralmente consiste de algo rápido e simples, por exemplo, um congelado vendido em supermercado, pronto para ser aquecido no micro-ondas, uma massa, um enlatado ou uma pizza entregue em casa.

Os turistas vão notar que, atualmente, um número significativo de relacionamentos permanentes (inclusive em famílias mais jovens) envolve casais que não oficializaram o casamento e que se referem mutuamente como "parceiros", em vez de marido ou esposa.

Babás

As crianças das famílias da classe alta ou da antiga aristocracia dispõem de uma babá para tomar conta delas — uma mulher que mora num aposento da casa e se dedica exclusivamente aos pequenos. Às vezes, essas babás permanecem no mesmo lar pelo resto da vida, tomando conta de sucessivas gerações da mesma família, conquistando com isso um afeto muito grande por parte de seus membros.

Há colégios especiais, de alto padrão, destinados a formar "governantas". Essas profissionais saem desses cursos com ótimas qualificações e podem esperar os melhores empregos, com salários atraentes e boas condições de vida.

A procura por babás cresceu nos anos de *boom* econômico na década de 1990, principalmente nos casos em que ambos os pais tinham carreiras muito atribuladas e financeiramente compensadoras. Ser babá, formada ou não, tornou-se um trabalho muito popular entre jovens mulheres, e muitas delas saem do Reino Unido para trabalhar em outros países. Mas, em tempos economicamente difíceis, as babás correm o risco de sofrer dispensas.

Animais de estimação
A preocupação dos britânicos com os animais de estimação é um fato incontestável. Em 2002, estimava-se que havia no Reino Unido 7,5 milhões de gatos e pouco mais de seis milhões de cães (antigamente, os cachorros superavam os gatos em números), estando os coelhos na terceira posição, com pouco mais de um milhão de espécimes. Um hobby que vem crescendo é criar carpas e peixes decorativos tropicais em aquários.

Se você visitar uma casa que tenha cachorro, entenda que, para o seu anfitrião, vale a ideia de que "se você gostar de mim, tem que gostar do meu cachorro". Nesse caso, o dono imagina que o mundo é dos cachorros, e não acredita que qualquer pessoa sensível possa pensar de forma contrária — muito embora talvez você constate que alguns cachorros interrompem as conversas, perturbam o ambiente e às vezes até cheiram mal!

Infelizmente, muitas pessoas subestimam o tempo, o dinheiro e a energia que precisam dispensar a seus animais de estimação, sobretudo aos cachorros. Todos os anos, antes do Natal, há um apelo das instituições e organizações de proteção aos animais, como a RSPCA (Royal Society for the Prevention of Cruelty to Animals — Real Sociedade para a Prevenção à Crueldade contra os Animais), para que as pessoas pensem bem antes de comprar um animal de estimação para dar de presente. A mensagem é: "Um cachorro não é apenas para o Natal; é para a vida toda". Mesmo assim, milhares de cães acabam sendo largados nas ruas ou em canis temporários, como o Battersea Dogs' Home, em Londres, que em 2002 cuidava de cerca de 12.500 gatos e cachorros. Desse montante, 2.900 cães perdidos retornaram para seus donos.

> ***PET TRAVEL SCHEME***
> O Pet Travel Scheme (algo como Plano de Viagem de Animais de Estimação), implantado pelo governo britânico em 2000, permite que cachorros e gatos de estimação de 24 países da Europa Ocidental e de 26 países "distantes" — incluindo Austrália, Nova Zelândia, Cingapura e Japão — entrem no Reino Unido sem aguardar a quarentena, contanto que atendam a certas condições, incluindo vacinação contra raiva.

A mídia frequentemente apresenta histórias sentimentais de animais, como o caso dos burros abandonados em um país europeu, e programas de TV populares mostram animais fazendo coisas "inteligentes" ou "surpreendentes". Os amantes de animais também aparecem nas manchetes de tempos em tempos, ao deixar suas propriedades para doação a abrigos de cachorros ou gatos abandonados.

O movimento pelos direitos dos animais vem tendo um impacto considerável nas políticas governamentais; por exemplo, testes com animais vivos atualmente são proibidos na indústria de cosméticos, mas são permitidos sob normas estritas em estudos científicos para o benefício da humanidade.

Presentear

Como sugerido anteriormente, ao visitar a casa de um amigo para um almoço ou um jantar, é comum levar flores, uma caixa de chocolate ou uma garrafa de vinho. Os estrangeiros que foram morar no Reino Unido fariam bonito se levassem um presente para os pais e pequenas lembranças, típicas e apropriadas, de seu próprio país ou região para as crianças.

Dar presentes num sentido mais geral, como trazer lembranças de uma viagem a uma terra distante para amigos ou membros da família, é uma prática comum. O Natal (para a maior parte dos britânicos, não somente para os cristãos) e os aniversários são ocasiões especiais para presentear e festejar. Os jovens costumam demonstrar bastante espontaneidade nesse aspecto e, entre amigos, tendem a trocar presentes e cartões em aniversários e em outras ocasiões, muito mais facilmente que seus pais.

O SISTEMA DE CLASSES

A descrição a seguir é muito generalizada e mal consegue cobrir todos os detalhes e nuances desse fenômeno tipicamente inglês — o sistema de "classes". Vale dizer, no entanto, que os indicadores mais informativos da classe à qual pertence um britânico são seu sotaque e seu comportamento — nesse aspecto, os ingleses conseguem em geral se avaliar mutuamente momentos depois de se conhecerem.

Na prática, a classe não é mais uma barreira para a mescla social ou para uma amizade genuína; no entanto, as pessoas se sentem mais confortáveis associando-se a outras pessoas de mesma origem. Uma pessoa da classe trabalhadora pode se sentir desconfortável, por exemplo, num casamento da "alta sociedade", e o mesmo talvez aconteça se um aristocrata for a alguns tipos de pubs. Essa abordagem, contudo, é generalizada, e uma dose de autoconfiança resolveria o problema dos dois.

A classe alta

A classe alta geralmente engloba a aristocracia e seus descendentes, e foi tradicionalmente a "classe dominante", embora isso não seja mais válido na fluida mistura social existente na atualidade. A classe alta consiste essencialmente de pessoas que herdaram riquezas, além de encerrar algumas das famílias mais tradicionais do país, muitas delas portadoras de títulos de nobreza.

Acompanhadas das propriedades, da riqueza, dos títulos e privilégios, vêm certas obrigações e responsabilidades, além do dever de se comportarem de modo condizente com a camada social a que pertencem. Ainda perduram certas características entre aqueles que genuinamente fazem parte da "classe alta" — os bons modos têm uma importância fundamental.

A classe alta é geralmente muito reservada e nunca se intromete em assuntos alheios. Muitos casamentos continuam sendo "arranjados" por um processo que envolve apresentações cuidadosamente planejadas. Aqueles que se encontram com poucos recursos financeiros abrem suas casas ao público (as "mansões inglesas", como famosamente descritas por Noel Coward) e cobram uma taxa de entrada, ou então vivem em circunstâncias de empobrecimento em meio a antiguidades de preços incalculáveis.

Os membros dessa classe em geral apresentam um sotaque afetado, distintivo, pronunciado de maneira bastante precisa. Uma versão mais lenta dessa pronúncia é conhecida como "a fala arrastada da classe alta". Cada vez mais, no entanto, as gerações mais jovens estão inclinadas a evitar esses maneirismos de pronúncia a fim de *não* aparentarem que são de uma classe superior!

Essa classe é definida, antes e acima de tudo, pelas famílias que a ela pertencem. Pertencer a uma das famílias "antigas" é um pré-requisito para ser dessa classe. Outros indicadores são a educação (cursar ótimas escolas privadas, como Eton ou Harrow, seguidas pela universidade — Oxford ou

Cambridge), a riqueza (geralmente, nos dias de hoje, na forma de terrenos ou propriedades, e não de dinheiro) e, em certa extensão, a ocupação e os passatempos, que incluem os esportes tradicionais do campo: caça, pesca e tiro. Muitas pessoas da classe alta têm cavalos e praticam hipismo por prazer (o que, de modo geral, inclui a caça à raposa) ou como competição (incluindo a montaria com obstáculos), bem como se interessam por corridas.

Aqueles interessados em saber "quem é quem" na aristocracia inglesa podem consultar o *Burke's Peerage*, que fornece o pedigree das famílias nobres.

Caça à raposa

Há mais de um século, o dramaturgo Oscar Wilde descreveu a caça à raposa como "o inominável em busca do intragável". Atualmente, ela se transformou num campo de batalha político e social.

Os opositores ao esporte alegam crueldade em relação aos animais, e a modalidade se tornou um dos principais tópicos no Parlamento, até a decretação da Lei da Caça de 2004, que proibiu qualquer caça com cães na Inglaterra e no País de Gales. (A Escócia aprovou sua própria legislação dois anos antes.) Em outras palavras, não foi tanto uma campanha para salvar as raposas, mas mais um troféu na batalha entre "ricos" e "pobres".

A classe média

Sempre existiu a classe média, situada em algum ponto entre a aristocracia e os camponeses, em função de seus bens ou de suas ocupações. Proprietários de terras e profissionais de todas as sortes — "cavalheiros" — foram posteriormente seguidos por aqueles que fizeram dinheiro durante ou após a Revolução Industrial. A classe média tem uma base muito ampla, dividindo-se em média-alta e média-baixa, de acordo com as posses, o nível de educação e a posição percebida dentro da comunidade. Esse refinamento da distinção de classes somente poderia ser inventado por uma sociedade obcecada com o status e com os detalhes.

A classe média atual abrange os profissionais liberais, os administradores e os setores que estão ascendendo às camadas superiores da sociedade (bem como, talvez, uma ala da classe alta que está regredindo para as camadas inferiores), e considera-se que ela representa a maior parte da população, sem dúvida na metade sul da Inglaterra. Geralmente é menos rígida no comportamento e em questões de etiqueta, se comparada à classe superior.

Os valores da classe média formaram a espinha dorsal da sociedade e forneceram os profissionais e administradores habilitados que operaram o Império. O ensino tem fundamental importância para a classe média, tenha ela feito seus estudos numa escola pública ou privada, de preferência seguida da universidade. Seus passatempos não são muito bem definidos, mas esportes que exigem equipamentos caros, uniformes especiais ou práticas e treinamentos intensivos, como golfe e tênis, são costumeiros.

Embora possa viver de uma forma mais descontraída, a classe média, a exemplo da superior, também gosta de certa pompa e luxo, como a Abertura do Parlamento pela rainha ou a pompa associada aos jubileus reais. Ocasiões sociais formais, como casamentos ou bailes de debutantes, são realizadas em grande estilo. Outrora uma tradição da classe alta, a apresentação da filha à sociedade dessa forma, na esperança de que ela encontre um bom partido, atualmente tem sido adotada pelos "novos ricos". Esse hábito é estimulado por algumas revistas, como *The Tatler*, destinada a divulgar debutantes e suas festas.

A classe trabalhadora

O "Reino Unido da classe trabalhadora" é uma frase ainda utilizada por socialistas e sindicalistas. Ela foi cunhada no contexto da exploração e da desigualdade social, que resultou no nascimento do capitalismo do século XIX. Hoje seu uso reforça as divisões de classes do Reino Unido e, particularmente, da Inglaterra.

O Partido Trabalhista foi fundado pelo movimento sindicalista no início do século XX para defender as necessidades de seus membros. Ele tem sido financiado ao longo dos anos pela taxação dos sindicatos imposta a seus membros.

A classe trabalhadora tem seus próprios rituais e etiquetas que informam seu comportamento e determinam o que é esperado de seus participantes. A cultura dessa classe é projetada e representada todas as semanas nas novelas da TV, principalmente *Coronation Street* (a de maior duração), que reflete o modo de vida no nordeste da Inglaterra, e *Eastenders*, que reflete a vida no East End londrino e em suas cercanias. Essas novelas com certeza atraem espectadores de todo o espectro cultural.

A exemplo das novelas, a vida da classe trabalhadora tradicionalmente gira em torno do pub local, dos clubes frequentados unicamente por homens (as mulheres não eram admitidas nesses lugares, mas o conceito de politicamente correto tem forçado alterações nos últimos tempos), do futebol — com uma lealdade quase tribal —, das casas de apostas, dos bingos e das bandas de metais, particularmente no norte. A seu modo, tal cultura também alimenta uma forma de esnobismo, que censura qualquer pessoa que tenha saído da linha, por exemplo, ao mostrar aspirações de ascender "acima de seu nível" ou classe.

Por exemplo, pode haver consequências na comunidade local se alguém for visto caçando raposas (esporte considerado da classe alta), consultando-se numa clínica elegante (frequentada pela classe média) ou torcendo pela Rugby Union (vista como pertencente à classe média), em vez de pela Rugby League (vista como própria da classe trabalhadora). E você definitivamente não ousaria pedir algo que não fosse uma cerveja (ou um refrigerante) num clube de trabalhadores — jamais vinho!

"Saber o seu lugar"
Uma encenação cômica nos anos 1970 gravada na TV sintetiza perfeitamente as atitudes inglesas em relação às classes. Ela apresentava três homens, com diferentes alturas e roupas, de pé numa fila. O mais alto e mais bem vestido dos três lança um olhar rápido para os outros dois e diz: "Eu desprezo os dois". O homem do meio, trajando um paletó comum, se vira para o alto e diz: "Eu o admiro"; em seguida, vira-se para o pequeno, que usa uniforme e capacete, e completa: "Mas eu o desprezo". Finalmente, o homem mais baixo apenas diz: "Eu sei o meu lugar". Isso pode parecer um anacronismo nos dias de hoje, mas o fato é que as divisões de classes existem, ainda que não sejam discutidas.

Os formadores de opinião
Há um novo grupo na sociedade, vindo de todas as classes, conhecido como formadores de opinião — pessoas envolvidas na mídia, cuja atividade é dizer ao resto do país o que pensar e por quê. São escritores, jornalistas, profissionais de rádio TV, acadêmicos, atores (cada vez mais atuantes) e artistas de modo geral. Muitos deles também são políticos.

Uma de suas características é que eles se levam muito a sério, bem como sua missão de estabelecer a agenda cultural e social do país. Na condição de grupo, tendem a se permitir ser mais rudes que as outras pessoas, por causa da visão que nutrem de sua própria importância.

Mas, a exemplo dos políticos, essas pessoas têm uma vida de certa forma isolada e são usualmente recebidas com um ceticismo saudável pelo resto da sociedade. São também os promotores do que cada vez mais é considerado o "bicho-papão" da sociedade moderna — o "politicamente correto", isto é, o cuidado com o uso de linguagem e com comportamentos que possam ser percebidos como ofensivos a qualquer grupo (minoritário). Consequentemente, para se referir ao/à dirigente de uma instituição, agora temos *chairperson* (literalmente, "pessoa no comando") ou até *chair*, em vez de *chairman* (homem no comando), e *chalkboard* (lousa, literalmente "quadro de giz"), em vez de *blackboard* (quadro-negro) nas salas de aula.

Esses grupos promovem festas animadas e são uma companhia estimulante.

Os novos ricos

Esse é um termo depreciativo, mas a classe em si é tão antiga quanto a história. Refere-se àqueles que fazem uma exibição ostensiva dos bens recentemente adquiridos.

Pode incluir o homem bem-sucedido que se fez por esforço próprio, o qual, de origem humilde, acumulou grande quantidade de dinheiro, provavelmente no comércio, ou a uma pessoa que se tornou repentinamente milionária, como o ganhador de um prêmio de loteria. Essa pessoa poderia, por exemplo, comprar um carro ou uma casa desnecessariamente grandes e luxuosos — o que é visto como vulgar ou de mau gosto —, ou começar a patrocinar festas extravagantes e de grande repercussão.

Na sociedade atual, muitas pessoas que se fizeram por esforço próprio, sejam industriais ou comerciantes, tendem a receber honrarias públicas. Pessoas modestas, que não exibem ostensivamente sua nova riqueza, são tratadas com o devido respeito e não recebem a descrição de "novos ricos".

Leia livros!
O escritor e advogado John Mortimer, criador da série de TV *Rumpole of the Bailey* — um relato cômico das atitudes morais e dos costumes ingleses vistos pelos olhos de um promotor da velha guarda —, assinalou certa vez que a base de toda a literatura inglesa são as classes — começando por Chaucer, passando por Shakespeare, Trollope, até os escritores contemporâneos. Leia qualquer livro de ficção elaborado por um autor inglês, e isso vai lhe revelar os modos e as tradições do país.

Uma questão de "estilo de vida", não de "classe"
Finalmente, o que vem sendo chamado de "estilo de vida" pode ser o próximo paradigma nas

noções variáveis de classe. Impulsionados pelos *yuppies* — jovens profissionais que estão ascendendo na escala social — e pelos *dinks* — casais sem filhos em que os dois trabalham — e apoiados por uma fixação crescente da mídia sobre a cultura jovem, os gurus do estilo de vida pregam o acesso instantâneo à qualidade de vida possibilitado não pela riqueza, pela educação, por valores morais ou pelo mérito, mas pela moda do momento — a cor com que você pinta o quarto, a posição dos seus móveis (*feng shui*), as roupas de grife que você veste. Os seguidores desse "estilo de vida" podem se ver como os novos líderes sociais!

ASSUNTOS PROIBIDOS

No contexto de uma conversa cordial, os tradicionais temas considerados tabus sociais costumavam ser política, sexo e religião. Poder-se-ia acrescentar a estes o tema do dinheiro. Considerava-se que todos esses tópicos tinham o potencial de elevar os ânimos ou provocar constrangimentos e, com isso, perturbar a atmosfera numa mesa de jantar. Na atualidade, algumas coisas mudaram, mas vestígios dos velhos sentimentos ainda persistem, e os visitantes devem ter cuidado antes de dizer algo que possa ofender ou causar constrangimento. A religião não é um tópico para ser discutido se você não conhece bem sua companhia.

Dinheiro

O assunto dinheiro — no sentido de quanto uma pessoa tem ou não de posses — não é recomendado para discussões, uma vez que se trata de algo muito pessoal. No mundo de hoje, em que há a Loteria Nacional e o programa de TV *Who Wants to Be a Millionaire?* (Quem quer ser milionário?), ainda há ingleses que acham um tanto vulgar ou desonroso conversar sobre esse assunto. Isto é, a percepção de um lado sombrio associado ao processo de ganhar dinheiro continua espreitando o subconsciente da nação.

Por outro lado, é perfeitamente aceitável conversar sobre como você conseguiu economizar, encontrando a garrafa de um bom vinho pela metade do preço no supermercado.

A alta sociedade britânica é bastante desconfiada de quem consome desenfreadamente, para "se mostrar", como com frequência é o caso de muitos novos ricos, entusiasmados ao exibir suas posses. No Reino Unido, a riqueza demonstrada não é necessariamente sinal de sucesso. As pessoas são admiradas porque, como nos esportes, elas participam, têm um objetivo. Talvez possam fracassar, mas serão admiradas mais por quem são (essencialmente como pessoas, embora isso possa incluir o status) ou pelo modo como conduzem sua vida. O fato é que alguém pertencente à classe superior que se encontre sem dinheiro e sem perspectivas normalmente será tratado com mais respeito do que uma pessoa sem modos ou sem "linhagem" que esteja numa situação semelhante.

No fim, a dignidade, a cultura e o status são bem mais prezados do que a posse de dinheiro.

Política

Com a implantação da cobertura televisiva do Parlamento e o enfoque "engajador" do Novo Trabalhismo ao processo político, as atitudes se atenuaram um pouco nas discussões sobre política. As boas maneiras continuam ditando que, quanto menos você expressar suas convicções políticas, melhor. Mas é aceitável discutir sobre os políticos em si, bem como fofocar sobre a vida privada deles.

Outros europeus, em contrapartida, são muito mais interessados em assuntos concernentes a suborno e corrupção, e acreditam que a vida privada de uma pessoa pública, especialmente sua vida sexual, não é da conta de ninguém.

Sexo

Os britânicos parecem ter mantido uma relação estranha com o sexo durante um longo tempo, mas hoje já estão mais inclinados a falar abertamente sobre o assunto, pelo menos em linhas gerais. No entanto, sua vida sexual é tão particular quanto você deseje.

As atitudes em relação à sexualidade jamais foram diretas. Essa ambivalência às vezes gera resultados extremos — de períodos de repressão, como na Commonwealth puritana de Oliver Cromwell ou na época da rainha Vitória (quando algumas pessoas chegavam a cobrir as pernas do piano em virtude de uma noção distorcida de modéstia), até períodos de excesso, como na Regência, no início do século XIX, ou, alguns podem dizer, como na atualidade.

O sexo e a repressão sexual têm sido preocupações fundamentais dos escritores, dramaturgos, artistas e reformadores sociais britânicos ao longo de várias gerações — a farsa há tempos exibida no West End londrino, *No Sex, Please, We're British* (Sem sexo por favor, somos britânicos), é um exemplo clássico desse gênero. Nesse meio-tempo, após a famosa "liberação sexual" do Reino Unido pós-década de 1960, o país tem a terceira maior taxa de divórcios do mundo (principalmente pedidos pelas mulheres) e o maior número de mães solteiras com menos de 20 anos da Europa. Tanto a mídia escrita como o rádio e a TV apoiam a liberdade sexual em termos de escolha e orientação, e até revistas direcionadas a pré-adolescentes promovem, direta e indiretamente, o interesse pelo sexo.

O que o visitante estrangeiro deve fazer?
Certamente, é difícil para um estrangeiro saber exatamente quem é quem e o que é o que em qualquer contexto social na Inglaterra. A boa notícia, no entanto, é que nada é esperado de um estrangeiro, exceto que ele tenha boas maneiras. Um visitante que simplesmente "se encaixe" será bem recebido.

Se um turista tiver maus modos, isso não será mencionado, mas simplesmente reforçará a visão inglesa tradicional de que a ordem social e a civilidade acabam nas falésias Brancas de Dover.

Capítulo **Oito**

RECOMENDAÇÕES NOS NEGÓCIOS

UMA VISÃO PANORÂMICA

Até que a crise bancária internacional disparasse uma recessão mundial em 2009, a economia era uma das histórias de sucesso da administração do Novo Trabalhismo. O Reino Unido mantinha níveis baixos de inflação e a menor taxa de juros em uma geração, atingindo um crescimento anual de cerca de 2,5% — em um cenário de *boom* nos setores baseados no conhecimento e de serviços, porém com uma base industrial enfraquecida — e conseguindo manter uma moeda independente. Ao mesmo tempo, o governo arrecadou as maiores taxações indiretas em uma geração para financiar o aumento nas despesas dos serviços públicos, especialmente no Serviço Nacional de Saúde. Após as eleições de 2010, a coalizão entre conservadores e liberal-democratas introduziu cortes enormes para reduzir o déficit orçamentário.

O principal parceiro comercial do Reino Unido é a União Europeia (parceria que responde por mais de 50% do comércio de produtos e serviços); no passado, fora o Império Britânico. De fato, a perda do império e de seus mercados cativos forçou o comércio e a indústria britânicos a se tornar muito mais competitivos. Um sinal de alerta foi primeiramente emitido por Margaret Thatcher, mas mudanças só foram implementadas após um longo período e de forma relutante. É irônico que três das dez indústrias automobilísticas mais produtivas do continente europeu estejam no Reino Unido, embora os donos sejam os japoneses, demonstrando que o operário britânico pode, de fato, ser um dos melhores, se tiver o ambiente de trabalho e a motivação corretos. Os britânicos de fato trabalham muito mais horas que qualquer outro povo europeu, ocupando a quarta posição no mundo, atrás dos EUA, do Japão e da Austrália, no número total de horas trabalhadas durante o ano.

O maior investidor estrangeiro no Reino Unido são os Estados Unidos, e vice-versa. Essa não é nenhuma novidade, uma vez que esses dois países compartilham uma história, uma língua e uma cultura com características comuns. É importante, no entanto, reconhecer que pode haver diferenças significativas na percepção histórica, no uso da língua e nas aspirações e normas culturais. Este livro não pretende examinar detalhadamente essas questões, mas é útil que os visitantes, em especial os executivos, fiquem cientes do fato de que essas diferenças efetivamente existem.

Na condição de ilhéus, os britânicos são uma raça mercantil por excelência. Transacionar com o restante do mundo é parte rotineira da vida diária comercial e industrial, como tem sido a tônica desde os tempos passados do Império. De fato, embora com menos de 1% da população mundial, o Reino Unido é a quinta maior nação do mundo no que se refere ao intercâmbio de produtos e serviços. O comércio internacional responde atualmente por cerca de 30% do PIB do país e permanece um elemento vital da economia nacional.

Os principais compradores do Reino Unido são os Estados Unidos (29 bilhões de libras esterlinas; 46,4 bilhões de dólares), seguidos da Alemanha (22 bilhões de libras esterlinas; 35,2 bilhões de dólares), da França (18 bilhões de libras esterlinas; 28,8 bilhões de dólares), dos Países Baixos (15 bilhões de libras esterlinas; 24 bilhões de dólares) e da República da Irlanda (12 bilhões de libras esterlinas; 19,2 bilhões de dólares). O Japão está em décimo lugar, com 3,5 bilhões de libras esterlinas, ou 5,6 bilhões de dólares.

Inversamente, os principais fornecedores são quase os mesmos, com os Estados Unidos liderando a lista (28,5 bilhões de libras esterlinas; 45,6 bilhões de dólares), seguidos da Alemanha (27,5 bilhões de libras esterlinas; 44 bilhões de dólares), da França (18 bilhões de libras esterlinas; 28,8 bilhões de dólares), dos Países Baixos (15 bilhões de libras esterlinas; 24 bilhões de dólares) e do Japão (10 bilhões de libras esterlinas; 16 bilhões de dólares). Na décima posição está Hong Kong (6 bilhões de libras esterlinas; 9,6 bilhões de dólares).

As indústrias manufatureiras tradicionais, incluindo as indústrias "pesadas" de carvão, ferro e aço, como as dos membros do G-7, de modo geral continuam declinando. No entanto, os setores de

máquinas e de equipamentos de transporte
responderam por 47% das exportações e 46% das
importações em 2000, com as áreas aeroespacial,
química e de eletrônicos tornando-se cada vez mais
exportadores significativos. Combustíveis,
produtos químicos, bebidas e tabaco continuam
dando contribuições importantes, assim como os
serviços ligados à área de transportes,
comunicações, construção, seguros, serviço
financeiro, computadores e serviços de informação,
além de *royalties* e taxas de licenciamento. Até a
crise do crédito, o PIB tinha ficado em torno de 2%
a 2,5%. Medidas sem precedentes tiveram de ser
adotadas para sanear o sistema bancário e
estimular a economia.

FORMALIDADES NOS NEGÓCIOS

O aperto de mãos
Quando você for apresentado a homens ou mulheres
de negócios, e também ao deixá-los, cumprimente-os
com o usual aperto de mãos firme (mas não
esmagador nem muito prolongado). No entanto, os
ingleses não adotaram o hábito de apertar as mãos
rotineiramente. Os cumprimentos típicos são: *Hello,
nice to meet you* ("Olá, prazer em conhecê-lo") ou o
tradicional *How do you do?* ("Como vai?").

Cartões de visita
O aperto de mãos é geralmente, mas nem sempre,
seguido pela troca de cartões de visita. Os cartões
para todas as classes profissionais, mesmo para os

funcionários públicos, são discretos, com desenhos simples feitos em impressão preta sobre um fundo branco. Para os que trabalham em áreas como publicidade, marketing ou relações públicas, eles podem ser mais coloridos, acompanhados do logotipo da organização. À diferença dos japoneses, os britânicos preferem apenas olhar rapidamente o cartão sem analisá-lo, colocá-lo no bolso e devolver a gentileza com a entrega de seu próprio cartão, se tiverem um disponível.

O valor das boas maneiras
Os britânicos acreditam que "Os modos fazem o homem", e isso vale também para os negócios. Uma discreta cortesia vai causar uma impressão muito positiva em seu anfitrião. Mostre certo grau de reticência e deferência, e lembre-se de usar *please* ("por favor"), *thank you* ("obrigado") e assim por diante.

Primeiro nome
Siga seu anfitrião em relação ao uso do primeiro nome. Como regra geral, é melhor ir com calma, gradualmente. As diferenças de idade também são determinantes. Como vimos, os jovens (e os de espírito jovem!) são mais inclinados a utilizar o primeiro nome, no estilo norte-americano, mas você precisa ter certeza antes de assumir que esse é o nível de comunicação preferido por quem o recebe. O fato é que o uso disseminado de e-mails

teve um impacto significativo nas comunicações; o protocolo norte-americano do *Hi, Peter* ("Oi, Peter") é comum, mas os ingleses tradicionalistas preferem a forma convencional da escrita de cartas, usando *Dear Peter* ("Caro Peter").

Amizade e ser amistoso
Lembre-se de que os britânicos tendem a compartimentar a vida e têm um elevado senso de privacidade e espaço pessoal.

Essa característica é reforçada pela aderência à antiga premissa de "jamais misturar negócios e prazer", daí uma certa resistência quanto a fazer amigos na empresa, no sentido de um relacionamento mais próximo. As pessoas geralmente estão cientes da possibilidade de prejudicar um bom relacionamento no trabalho ao fazer suposições de intimidade. Para muitas gerações mais jovens, essa barreira não é tão rígida como no passado. Contudo, há um abismo entre ser simpático com alguém e presumir que se trata de uma amizade verdadeira.

COMUNICAÇÃO ESCRITA
As formas de endereçamento que abrangem os termos *Mr.* (sr.), *Mrs.* (sra.), *Miss* (srta.) ou *Ms.* (usado quando não se sabe se a mulher é casada ou solteira) continuam sendo utilizadas e provavelmente ainda são consideradas o "modo normal". No entanto, torna-se cada vez mais comum escrever simplesmente "John Smith", "Jane Smith" ou até "J. Smith".

O reconhecimento da posição profissional individual, como *Dr.* (para médicos ou doutores acadêmicos), *Professor* ou ainda o título usado para integrantes das Forças Armadas, entre outros, continua sendo uma etiqueta requerida. Muitas pessoas, particularmente em correspondências privadas, ainda utilizam a forma tradicional de endereçamento aos cavalheiros: *Esquire* (título de cortesia para homens em contextos formais, sem um significado exato), como em *John Smith, Esq.*, mas essa prática muito provavelmente desaparecerá na próxima geração.

REUNIÕES FORMAIS E CÓDIGO DE VESTIMENTA

A época do guarda-chuva, terno escuro e chapéu-coco praticamente não existe mais — com alguma exceção ocasional na cidade de Londres. Por outro lado, independentemente de certo despojamento em alguns contextos (veja a seguir), é essencial se vestir de maneira elegante no ambiente de negócios. Isso significa um terno escuro para os homens, e saia ou calça escura e jaqueta para as mulheres. A higiene pessoal e a aparência bem cuidada são importantes. Atualmente, há um uso indiscriminado de perfume, tanto masculino como feminino, mas a sutileza ainda é sua melhor amiga nesse aspecto.

Visitantes estrangeiros que desejarem usar os trajes tradicionais de suas culturas nativas, particularmente em uma recepção formal de negócios, serão bem recebidos.

Vestir-se de forma descontraída
Na década de 1990 e na entrada do novo século, diversas empresas de pequeno e grande porte cederam aos apelos dos funcionários para que criassem uma atmosfera mais relaxada às sextas-feiras, o que ficou conhecido como *casual Friday* (sexta-feira casual), em que se deve ir ao trabalho com roupas casuais, porém elegantes, sem trajar obrigatoriamente camisa e gravata. Essa concessão beneficiou muito mais os homens, dado que as mulheres já vinham há algum tempo usando o tipo de roupa da moda que mal se conseguiria imaginar em gerações passadas.

Liberação masculina
Em 2003, o funcionário de um escritório interno (ou seja, que não lida diretamente com o público) de um departamento governamental venceu uma ação de discriminação contra seu chefe, que o obrigava a usar terno e gravata em todos os dias de expediente.

PONTUALIDADE E VIDA NO TRABALHO
Ser pontual em seus compromissos é essencial em um contexto de negócios. Não se atrase. Por outro lado, não chegue cedo demais (alguns minutos no máximo). Essa regra também vale para eventos noturnos, por exemplo, quando você é esperado em um restaurante. Se você estiver inevitavelmente preso, como em um congestionamento, telefone para avisar.

É esperado que, no início das reuniões, haja uma troca de gentilezas — mas, com aqueles que estão hierarquicamente acima de você, evite falar muito alto, tentar parecer engraçado, demasiadamente íntimo ou até excessivamente educado.

Almoços de negócios
Em virtude dos custos e da correria do cotidiano, os almoços de negócios prolongados são raros nos dias de hoje. Com mais frequência, os funcionários têm um intervalo curto para o almoço e, de modo geral, fazem uma breve caminhada e voltam com um sanduíche para comer na própria sala.

Se você for convidado para um almoço de negócios (geralmente realizado das 12h30 em diante), deve assumir que estará de volta ao escritório por volta das 14h30. Jantares de negócios são raros, exceto se houver uma conferência ou uma feira de negócios.

Fumar no trabalho ou em lugares públicos
Desde 2007, a legislação do Reino Unido proíbe o fumo em todos os espaços públicos fechados, especialmente dentro de escritórios, teatros, cinemas, restaurantes e meios de transporte. Alguns funcionários de empresas, desesperados por um cigarro, podem ser vistos dando uns tragos do lado de fora, nas calçadas. Na época, os proprietários de pubs argumentaram que a proibição teria um impacto negativo nas vendas. Depois de alguns anos, pode-se constatar que o impacto tem sido variado. Muitos

pubs realmente fecharam as portas, enquanto outros aumentaram a venda de alimentos. Cerca de 30% da população adulta do Reino Unido é fumante.

Presentear

Trocar presentes de forma generosa não é geralmente esperado ou feito no contexto britânico dos negócios. Os britânicos, de modo geral, não incorporam esse aspecto da prática empresarial, comum em muitas regiões do mundo, e têm dificuldades com esse processo quando as formalidades exigem que isso seja feito.

Eles se sentem constrangidos quando recebem um presente generoso, e ainda mais constrangidos se tiverem de dar um. É difícil saber se tal sentimento se relaciona à percepção de que presentes sugerem um elemento de suborno, ou se é simplesmente uma manifestação da tradicional timidez e da reticência inglesas. Pode ser também que, num relacionamento de negócios, um presente pareça algo muito pessoal.

Para ajudar nesse processo, tem havido um crescimento enorme no mercado de brindes corporativos — presentes "saudáveis" com o logotipo da organização, de guarda-chuvas a canetas esferográficas. Mas isso é feito em nome do marketing e das relações públicas.

Se você for presentear algum contato profissional inglês, lembre-se de que não necessariamente receberá algo em troca. Mas não permita que isso o detenha! Uma comida, um vinho ou uma peça de artesanato típicos de seu país serão sempre bem-vindos.

HOMENS E MULHERES DE NEGÓCIOS

A dura realidade de fazer negócios no século XXI deixa pouco espaço para aqueles que costumavam distinguir as pessoas por classes quando iam recrutar funcionários. O acesso automático ao mundo do trabalho por meio da "gravata da escola tradicional" desapareceu, embora seja importante fazer contatos úteis (*networking*).

A sobrevivência no competitivo mercado de trabalho atual tem forçado gestores de todas as partes a se tornar mais rígidos e a contratar profissionais pela eficiência, pelas variadas competências e pela capacidade de contribuir para a organização de forma direta e positiva, e não pela aparência, pelos vínculos sociais ou pela erudição. Uma nova meritocracia está surgindo, assim como maior transparência no modo como as empresas operam, particularmente no ambiente pós-Enron.

Especialistas financeiros hoje tendem a ser o centro da tomada de decisões, e a considerável rigidez das regras e regulamentações financeiras, incluindo as leis antidiscriminatórias (notadamente a discriminação racial e a sexual), exige o aumento da transparência no modo como os negócios são conduzidos.

Empresas de pequeno e médio porte respondem por cerca de 96% de todas as organizações britânicas. Obviamente, entre elas, há muitas empresas familiares e tradicionais — que fazem queijo, camisas, pianos etc.

Essas empresas são parte de uma base de artesãos hábeis que vêm desaparecendo rapidamente, ainda que estejam no coração da cultura empresarial britânica há um século ou mais. Mesmo trabalhadores como encanadores, eletricistas e carpinteiros são cada vez mais difíceis de encontrar, em parte porque o antigo sistema de aprendizagem foi abandonado na geração passada (embora o governo tenha feito alguns esforços recentes para estimular uma versão mais simplificada), e em parte porque as tentativas governamentais de engenharia social no sistema escolar não têm encorajado o ensino técnico.

Mulheres nos negócios
Os direitos iguais para mulheres no mundo do trabalho são garantidos por lei, porém há áreas em que o "teto de vidro" continua inibindo o avanço das mulheres. No entanto, nunca se viram tantas delas ocupando altas posições nos negócios como nos dias de hoje. O sistema de benefícios governamentais também nunca foi tão generoso com as mulheres, particularmente com as mães solteiras e trabalhadoras.

Apesar disso, fora do escritório, em ambientes como feiras de negócios, palestras ou seminários, muitos homens ainda se sentem inclinados a pensar que as mulheres ali presentes talvez sejam assistentes ou funcionárias de apoio, de modo que, se você for mulher, deixe clara sua posição executiva ou gerencial na primeira oportunidade — obviamente da maneira mais educada e sutil possível.

ESTILOS DE NEGOCIAÇÃO

No Reino Unido, os estilos de entrevista e negociação são diferentes dos encontrados nos Estados Unidos e em diversos outros países. O estilo britânico tende a ser deferente, indireto, afável e relaxado, dando espaço até para o humor. O estilo americano, no entanto, tende a ser mais breve e muito mais direto, com os indivíduos se esforçando para "vender o seu peixe", de modo a não deixar ao interlocutor nenhuma dúvida sobre seus pontos fortes e méritos. Normalmente não são trocadas gentilezas.

Lembre-se também de que, nesse contexto, em virtude da típica discrição dos ingleses, você vai precisar de muita paciência para fazer negócios. Se é verdade que os americanos gostam que algo seja "vendido" a eles, é também válido que os ingleses geralmente gostam de "comprar" algo, e às vezes eles podem demorar muito a se decidir. Assim, não espere um modelo persuasivo e rápido de compra e venda no Reino Unido. Tudo será indicado de forma indireta, e provavelmente você terá de sondar muito seu interlocutor e até importuná-lo para saber o valor real do produto ou do serviço que lhe interessa. Isto é, você efetivamente vai precisar perguntar!

SINDICALISMO

A reforma do sindicalismo na administração Thatcher ajudou a provocar o renascimento da economia britânica em meados da década de 1980. A prosperidade que se seguiu continuou mais ou menos sem interrupções desde então — exceto em um ou dois eventos infelizes, especialmente a retirada repentina do Reino Unido em 1991 da União Monetária Europeia (UME), que causou enormes aumentos nas taxas de juros, resultando na perda de casas para muitas pessoas e na falência de organizações. Sob o governo trabalhista, alguns dos sindicatos mais antigos começaram a adotar uma posição de centro-esquerda, com aumento do apoio às greves que ocorrem de tempos em tempos. Essencialmente, no entanto, o Reino Unido contemporâneo está livre das ações de grevistas que solaparam o país e a economia no passado. Hoje vigora no Reino Unido uma lei referente ao salário mínimo.

FÉRIAS

O direito nacional a férias é de aproximadamente vinte dias úteis (isso exclui professores, que são beneficiados com mais tempo), acrescidos dos feriados nacionais (veja o capítulo 6). As típicas férias de verão têm no máximo duas semanas consecutivas, a não ser que um período mais longo, se disponível ao funcionário, seja acordado com ele previamente.

O período entre o Natal e o Ano-Novo também tende a se estender a duas semanas consecutivas (os turistas têm acusado o Reino Unido de "fechar as portas" nesse período). Muitas empresas atualmente insistem que essas férias de fim de ano sejam obrigatórias e descontadas das férias anuais (com exceção do Natal, do Boxing Day e do Ano-Novo, que são feriados nacionais oficiais). Cobrir férias de colegas é prática cada vez mais requerida em contratos de emprego — exceto, talvez, no funcionalismo público.

CONCLUSÃO

Este guia explorou diversos aspectos da famosa natureza britânica e do que significa ser britânico. No entanto, como vimos, isso camufla a verdade de que, em função de sua diversidade, a Grã-Bretanha é um país verdadeiramente *grande*, independentemente de seu significado político. De fato, é essa rica variedade que faz do Reino Unido o que ele é hoje no mundo contemporâneo. Extraordinariamente, apesar dessa diversidade, existe um sentimento disseminado de pertencimento e um senso de valores comuns que dão à nação sua característica única.

O talento britânico evoluiu a partir desse quebra-cabeça histórico e cultural, talento esse voltado para a sobrevivência e para a criatividade. Contra todas as possibilidades, a monarquia hoje é mais popular do que nunca, a BBC continua sendo a emissora pública mais respeitada do mundo, a capacidade de as pessoas terem a mente aberta e um sentimento de tolerância e comprometimento é mais forte do que nunca, e o país continua produzindo "professores distraídos", capazes de enviar uma sonda extremamente sofisticada a Marte.

Os britânicos continuam teimosos, porém gentis; divertidos, mas irritantes; simpáticos, mas lentos para fazer amigos. O Reino Unido permanece um enigma marcante e fascinante — para si e para o mundo todo.

Leitura recomendada

Há uma ampla variedade de livros que tratam de muitos aspectos do Reino Unido. A seguir são apresentados alguns títulos para leitura.

DANIEL, Christopher. *A Traveller's History: England*. Moreton-in-Marsh: Windrush Press, 1999.

EAGLES, Robin. *The Rough Guide History of England*. Londres: Penguin Books, 2002.

FOX, Kate. *Passport to the Pub: The Tourist's Guide to Pub Etiquette*. Londres: Brewers and Licensed Retailers Association, The Do-Not Press, 1996.

JACKSON, Michael. *Malt Whisky Companion*. Londres: Dorling Kindersley, 1996.

MORGAN, Kenneth O. *The Oxford History of Britain*. Oxford: Oxford University Press, 2001.

PAXMAN, Jeremy. *The English: A Portrait of a People*. Londres: Penguin Books, 1999.

SCHAMA, Simon. *A History of Britain*, 3 vol. Londres: BBC Worldwide, 2000, 2001, 2002.

Eyewitness Guides London. Londres: Dorling Kindersley, 1997.

The Green Guide to Scotland. Londres: Michelin Travel Publications, 2001.

The Green Guide to Wales. Londres: Micheling Travel Publications, 2001.

Bill Bryson escreve sobre o Reino Unido com humor e imparcialidade em vários livros de sua autoria, como *Mother Tongue*, *Notes from a Small Country* e *Notes from a Big Country*.

Índice remissivo

Aberdeen, 29, 45
Acordo da Sexta-Feira Santa (Good Friday Agreement), 57, 60
Amizade
  informalidade e, 124-25
  nos negócios, 155
Anglo-saxões, 21, 24
Antrim, 60
Aperto de mão, 125, 153
Área, 10
Artes, as, 78-79, 108, 110
Assembleia da Irlanda do Norte, 60-61, 62
Assembleia Nacional do País de Gales, 51-52
"Assentamentos" (Ulster), 25, 58-59
Assuntos proibidos, 145-49
Atos de União
  1536, 1542 (País de Gales), 23, 25, 51
  1707 (Escócia), 8, 16, 23, 26, 33, 83
  1801 (Irlanda), 26, 59

Bangor, 60
Batalha de Hastings (1066), 22
Bebendo, *Ver* Bebidas alcoólicas
Bebidas alcoólicas
  o pub, 103-7
  wine bars, 107
Belfast, 60, 62
Blair, Tony, 35, 150
Boas maneiras à mesa, 99-100
Brecon Beacons, 49
Brecon, 49
Britânicos, os, 15-16

Caça à raposa, 138
Canal da Mancha, 13
Cardiff, 47, 52, 53
Carlos Eduardo Stuart, príncipe ("Bonnie Prince Charlie"), 26, 34
Cartões de visita, 153
Casa dos Comuns, 60, 68, 83, 89
Casa dos Lordes, 26, 36, 83, 109
Castelo de Aberystwyth, 50
Castelo de Caernarfon, 50
Castelo de Conwy, 50
Castelo de Flint, 50
Castelo de Harlech, 50
Celtas, 20-21, 53
Cerveja, 104-5
Charles, Sua Alteza Real o Príncipe de Gales, 51
Chaucer, Geoffrey, 18, 25
Chepstow, 50

Cidades, 10
Clima, 10, 13-15
Colônias, 15
Comendo fora, 100-2
Comércio, 9, 11, 146, 150-53
Comida, 90-102
  a história do *fish and chips*, 93-94
  boas maneiras à mesa, 99-100
  comendo fora, 100-2
  comida de pub, 106
  convite para comer na casa de amigos, 98-99
  na Escócia, 42-43
  refeições do dia, 94-98
Comissão pela Igualdade Racial, 17
Commonwealth, 26, 84, 147
Confiança, senso de, 66-67
Conspiração da Pólvora (Gunpowder Plot) (1605), 58
Convite para uma refeição (jantar), 98-99
"Cool Britannia", 111-12
Corrida de cavalos, 111, 118
Crianças, 130-31
Críquete, 111, 116-17
Cromwell, Oliver, 25, 34, 85, 148
Cultura, alta/baixa, 78-79

Dependências da Coroa, 12
Dever, senso de, 76-77
Devolução, 60, 84
Dinheiro, discussões sobre, 146-47
Dirigindo, 122-23
Diversão, negócios, 157-58
Divórcio, 148
Dundee, 29

Edimburgo, 29, 30, 44, 45
Eduardo I, rei, 33, 50
Eduardo II, rei, 50
Eduardo III, rei, 33
Eisteddfod, 47
Eletricidade, 11
Elizabeth I, rainha, 23, 25
Elizabeth II, rainha, 27, 85
Escócia 10, 12-16, 51, 83
  as gaitas de foles, 39-40
  clãs e tartans, 40-41
  comida e lar, 42-45
  economia, 36-39
  ensino, 46
  gaélico, 46
  golfe, 42
  o povo, 30-32

perspectivas históricas, 33-36
suvenires, 114
Escritórios de informações turísticas, 123
Esportes, 9, 16, 115-19
Exército da Salvação, 77

"Faça você mesmo", 121, 122
Família, 130-35
   animais de estimação, 133-35
   babás, 132-33
   crianças, 130-31
   refeições com a família, 131-32
Familiaridade, a nova, 129-30
Fazer compras, 113-15
Feriados nacionais, 121
Férias, 163
Ferro e aço, 52
Festival de Edimburgo, 32
Fumar em lugares públicos, 158-59
Funcionalismo público, o, 79, 163
Funções da rainha, 85-86, 109-10
Futebol, 16, 45, 115-16

Gaitas de foles, 39-40
Gales, 10, 12, 13, 14, 16, 46-55, 83
   carvão e ferro, 52
   economia, 53
   geografia, 48-49
   o povo e a língua, 53-55
   suvenires, 114
   um pouco de história, 49-52
Glasgow, 29, 44, 45
Glyndŵr, Owain (Owen Glendower), 25, 51
Golfe, 42, 119
Gorjetas, 102
Governo, 11, 60
Grã-Bretanha multicultural, 16-18
Grã-Bretanha, 12
Greater London Authority, 84
Guerra Civil, a, 25
Guilherme I, o Conquistador, 22, 24, 49
Guilherme III, rei, 61

Hébridas, 12, 46
Henrique II, rei, 22, 49, 58
Henrique IV, rei, 51
Henrique VII, rei, 25, 51
Henrique VIII, rei, 23, 25, 51
Hogmanay, 40
Humor como diversão, 80-81

Identidade, senso de, 69-70
Igreja Anglicana (Nacional Inglesa), 35, 74, 75, 85

Igreja Católica Romana, 73
Igreja da Escócia, 35
Ilha de Man, 12, 13, 84
Ilha de Wight, 12
Ilhas Britânicas, 12-13
Ilhas de Scilly, 12
Ilhas do Canal, 12
Ilhas Ocidentais, Escócia, 15
Ilhas Órcades, 12, 29
Ilhas Shetlands, 12, 29
Império Britânico, 9, 16, 23, 26-27, 30-31, 150
Imprensa, 11
Inglaterra, 10, 12, 14, 15, 16, 83
Instituições beneficentes, 76-77
Irlanda do Norte, 10, 14, 51, 55-63, 84
   Acordo da Sexta-Feira Santa, 57
   cenário político atual, 60-62
   economia, 62-63
   vislumbres históricos, 58-60
Irlanda, 12, 56
Ironia, 65-66

Jaime I, rei, 23, 25, 33, 58
Jardinagem, 121, 122
"Jogo limpo", senso de, 67-68
Jorge III, rei, 26, 60
Justiça e o comprometimento, senso de, 70-71

Knox, John, 35

Lago Ness, 29
Lake District, 15
Legalistas, 56
Lei de Relações Raciais (1976; 2000), 17
Limites de velocidade, 123
Língua (idioma), 9, 18-19, 22
   gaélico escocês, 46
   galês, 47-48, 54
Linho, 62
Lisburn, 60
Listas de "honrarias", 72-73
Literatura, 9, 31, 32, 54, 63
Llywelyn ap Gruffydd, príncipe, 50
Londonderry, 59, 60
Londres, 100, 103, 108, 110-14, 156
Loteria Nacional, 77-108

Maratona, 118-19
Marcos históricos, 20-23
   algumas datas fundamentais, 24-27
Mercados, 113
Mineração de carvão, 52

Moda, 111-12
Modos — formais e informais, 126-29
　"obrigado" e "desculpe!", 127-29
　termos carinhosos, 127
Moeda corrente, 11
Monarquia, 85-86, 164
Monmouth, 50
Montanhas Cambrianas, 13
Montes Grampianos, 13, 28
Montes Peninos, 13
Mulheres nos negócios, 161
Museus, 108, 110

Newport, 52

Omagh, 60
Ônibus de excursão, 123
Orangemen, 61
Ordem, manutenção da, 68-69

Parlamento escocês, 36, 84
Parlamento, 25, 33, 83, 84, 88-89
　Abertura Oficial do, 109
Partidos políticos, 86-88
Personalidade britânica, 8-9, 164
Poesia, 31-32, 54
Política, discussão sobre, 147
População, 10, 17
Presentear
　no ambiente social, 135
　no trabalho, 159
Príncipe de Gales, 25, 50-51
Projeto Éden, Cornualha, 110
Pronúncia (sotaque), 18, 19, 44-45, 54
Pub, o, 103-7
　bar e salão, 105-6
　licenças, 106-7

Rainha Vitória, 27, 41, 148
Recomendações nos negócios, 150-63
　comunicações escritas 155
　estilos de negociação, 161-62
　formalidades, 153-55
　homens e mulheres de negócios, 160-61
　pontualidade e vida no trabalho, 157-59
　reuniões formais e código de vestimenta, 156
　sindicalismo, 162-63
　uma visão panorâmica, 150-53
Reino Unido, 12, 15
Religião, 10, 73-76, 145
Restaurantes, 91, 92, 101
Rio Severn, 13, 49
Rio Spey, 13
Rio Tâmisa, 13, 14
Robert Bruce, 25, 33

Romanos, 20, 58
Roupas, 100-1, 111-12, 156-57
Rúgbi, 16

Sanção real, 85-86
Segunda Guerra Mundial, 9, 81
Setor de serviços, 101-2
Sexo, 147-48
Shakespeare, William, 18, 25
Sindicatos 27, 79, 162-63
Sistema de classes, 71-72, 101, 135-45
　"estilo de vida", não "classe", 144-45
　"sabendo o seu lugar", 142
　a classe média 138-40
　a classe superior, 136-38, 146-47
　a classe trabalhadora, 140-42
　os "formadores de opinião", 142
　os "novos ricos", 143-44, 146
Sistema legal (jurídico), 82-83
Skye, 46
Snowdonia, 15, 49
Sociedade dos Irlandeses Unidos, 59
Superioridade, ar de, 70
Supermercados, 113, 122
Swansea, 52, 53

Tartans, 41
Teatro amador, 81, 109
Teatro, 54, 108-9, 110
Telefone, 11
Temporada, a, 119-21
The Clearances, 34, 41
Transmissão via rádio, TV e internet, 11
Trevo, 61-62
Trooping of the Colour, 109-10
"Troubles", os, 55

Uísque, 37-39
Ulster, 25, 56, 58
União Europeia, 150
União Monetária Europeia (UME), 162
Union Flag, 33

Viagens de trem, 123
Viagens e transporte, 122-23
Vida social
　cumprimentos, beijos e toques, 125-26
　entendendo a "polidez", 125
　informalidade e amizade, 124-25
Vikings, 21, 24
"Virtudes" e "vícios", 64-65

William Pitt, 59-60
Wine bars, 107

York, 21-22